A GUIDE TO
ADVANCED GERMAN ESSAY-WRITING
ON TOPICAL THEMES

A GUIDE TO
ADVANCED FRENCH ESSAY-WRITING
ON TOPICAL THEMES
By JAMES A. PORTER B.A.

A GUIDE TO
ADVANCED RUSSIAN ESSAY-WRITING
ON TOPICAL THEMES
By B. CROWE B.A.

A GUIDE TO
ADVANCED SPANISH ESSAY WRITING
ON TOPICAL THEMES
By A.K ARIZA M.A. & I.F. ARIZA

A GUIDE TO ADVANCED GERMAN ESSAY-WRITING ON TOPICAL THEMES

Based on Extracts from
Welt am Sonntag and *Die Welt*

by

JAMES A. PORTER B.A.

Formerly Head of the Modern Languages Department
Rothwell Grammar School
(now Rodillian School)

THIRD EDITION

HARRAP   LONDON

First published in Great Britain 1959
by GEORGE G. HARRAP & CO. LTD
182 High Holborn, London WC1V 7AX

Reprinted: 1960; 1962; 1964
Second edition 1966
Third edition 1973
Reprinted 1975; 1977; 1978; 1979; 1980

ISBN 0 245 52042 2

Printed in England by McCorquodale (Newton) Ltd.,
Newton-le-Willows, Lancashire.

PREFACE TO THE FIRST EDITION

Based on well-tried methods, the present book represents an attempt by a practising Sixth Form teacher to prepare advanced students of German in a branch of their work which is all too often, for want of suitable material, sadly neglected. The essays in German on general topics set by Examining Boards and Universities, together with the oral examinations conducted at the Universities, are tending increasingly to be based on technical, scientific, sociological and political themes which demand from the candidate not only an awareness of current trends and problems—sometimes specifically German in nature—but also an acquaintance with modern German phraseology and vocabulary which goes far beyond the traditional demands of the remainder of the course. The usual dictionaries and collections of German texts, up-to-date though they may be, are quite unable to supply the German equivalents for such words of topical moment as ' space-travel,' ' atomic fall-out,' ' bubble-car,' ' airlift,' ' racial segregation,' etc., or the gender and spelling of a host of borrowed words such as ' Sputnik.'

Fortunately a solution to this problem presents itself in the West German weekly newspaper *Welt am Sonntag*, which deals in a stimulating and authoritative manner with most topics of general interest to the lively student, from sport to space-travel, from Teddy-boys to tranquillizers. The present work consists of carefully selected extracts from such articles, arranged under appropriate headings and followed by supplementary material of a more general nature, together with suggested topics for discussion and essay work.

At least one hour per week in the Sixth Form may profitably be devoted to the study of this material without detriment to the demands of the remainder of the course; indeed, such a study can prove a most useful adjunct to the more traditionally academic work undertaken at Sixth Form level and beyond. It is suggested the material be treated on the following lines:

5

1. The extract is read at speed for general content, then analysed and paraphrased orally—in German as far as possible—to explain vocabulary and idiom. Basic word-roots may in almost all cases be linked with academic vocabulary.
2. The extract may now, if desired, be translated into English. This in itself is useful supplementary practice in Unseen translation.
3. After further study of the article, and discussion in German of the points made in it, the supplementary material is similarly studied, and oral discussion and written essays carried out on the allied topics suggested.
4. Students should be urged to memorize as much as possible of the basic phraseology—clichés, opening and concluding remarks, statements of concession, agreement and disagreement, etc. These will be found to have a strong ' carry-over ' into later essays and oral discussions on quite different topics.

Attention is drawn to the suggested stock phraseology in the opening section ' How to write an Essay in German.'

Since the book is intended for use by students who already possess a good grounding in German, English meanings are not normally given in the suggested supplementary material unless a word is an obvious neologism, has an exact counterpart in English jargon, or might be expected to present some difficulty to the average Sixth-former. In the supplementary material the sign / is used to separate words and phrases which are either synonyms or closely parallel in meaning; square brackets separate diverging alternatives for the phrasing of ideas.

An alphabetical German-English vocabulary at the end of the book explains the more difficult words and phrases encountered in the newspaper extracts. This vocabulary will also prove useful in breaking down words not explained in the supplementary material.

My thanks are due to the Verlagshaus *Die Welt* for kindly

granting me permission to use selected extracts from the columns of *Welt am Sonntag*. I also acknowledge with gratitude the help and encouragement of numerous friends and colleagues, and especially the inspiration of the late C. D. Draycott, M.A., a great teacher and a true friend.

J. A. P.

PREFACE TO THE SECOND EDITION

This second, revised and enlarged, edition brings the work up to date after an interval of seven years. Most of the topics dealt with in the first edition are of perennial interest, and where necessary these have been revised and expanded in the light of recent developments. In Section VI (POLITICS) recent extracts from *Welt am Sonntag* and *Die Welt* replace dated material, and Section XIII (SCIENCE AND INVENTION) has been similarly brought up to date. Finally, a new Section (Section XVI: TOWARDS THE YEAR 2000), points the way to future developments in many fields of human activities.

For permission to reproduce the new material in this second edition I am indebted to " *Die Welt* — Unabhängige Tageszeitung für Deutschland " and to " *Welt am Sonntag* — Aktuelle Sonntagszeitung für Deutschland ".

J. A. P.

PREFACE TO THE THIRD EDITION

The relentless progress of events has made desirable a further, more radical revision of the material in this work, which now spans the years 1957 to 1970. Earlier extracts have been retained where it is felt they illustrate aptly themes of perennial interest, or where they supply historical background to the present-day scene. In the light of these criteria, almost a third of the extracts in the second edition have been replaced by extracts from the Seventies, and all supplementary material has been revised and brought up to date.

For permission to reproduce material in this third edition, I am again indebted to "*Die Welt* — Unabhängige Tageszeitung für Deutschland" and to "*Welt am Sonntag* —Aktuelle Sonntagszeitung für Deutschland ".

J. A .P.

CONTENTS

9

HOW TO WRITE AN ESSAY IN GERMAN

General Advice

When preparing practice essays, study the topic as far as possible from German material, incorporating basic vocabulary from any allied theme you have already studied in the language. Similarly, in an examination where there is a choice of subjects, choose the one which is most closely related to the subjects you have previously discussed in class.

1. State the problem to be discussed boldly and clearly. Outline the issues it raises and its effects in different fields—social, political, economic, religious, moral, etc. Give facts and figures if possible; bold approximations will suffice.

2. Proceed from the general to the particular and give specific examples of the effect of the problem in human terms, using either fictitious names or stock labels—e.g., der Durchschnittsmensch / der Mann auf der Straße; Otto Normalverbraucher; die Hausfrau auf der Etage; die alleinstehende alte Frau; der Bauer in Kleinkleckersdorf (*Slocombe-in-the-Mud*).

3. State, and if possible illustrate, the pros and cons of the topic at issue.

4. Mention any additional or allied factors, parallel instances in other fields, etc., which may have some bearing on a solution of the problem.

5. Weigh the foregoing pros and cons and wind up with a brisk conclusion which boldly states your considered viewpoint.

Paragraphs should be clearly marked. Be liberal in asking your own questions and then providing a short, forthright answer. This helps to vary the rhythm of the essay. Avoid direct translation wherever possible by modifying expressions you have previously met and learned. Study and analyse the extracts in this book which specifically treat a controversial topic.

Here is some help in building up a useful store of stock material for expressing yourself in oral and written discussion. You should add to it by keeping your own notebook as you go through the book.

Stating the Problem

Dieses Problem wird zum gegenwärtigen Zeitpunkt besonders heftig diskutiert.

Es macht (+ *dat. pers.*) großes Kopfzerbrechen.

etwas kritisch unter die Lupe nehmen (*to scrutinize critically*)

Welches Problem ist heutzutage in aller Munde?

Jeder spricht von dieser gräßlichen Lage. Wer ist verantwortlich?

sich über etwas (*dat.*) einig sein (*to be agreed about something*)

Gerade bei Jugendlichen kommt es vor, daß . . .

Dieses Problem geht alle sozialen Schichten an.

die heißumstrittene Frage / das bedeutende hochaktuelle Thema / das heiße Eisen / der Zankapfel (*bone of contention*) / das brennende Problem / eine kitzlige Sache / die Gegenwartsfrage

Noch wichtiger aber ist das Kernproblem.

Das wird ein immer drückenderes Problem, das einer raschen Lösung bedarf.

Es ist eine Binsenwahrheit / Binsenweisheit (*platitude*), daß . . .

Es liegt auf der Hand, daß . . . (*it is obvious that . . .*)

Viele stehen auf dem Standpunkt, daß . . .

Issues raised

Beim Betrachten dieses Problems dürfen wir nicht außer acht lassen, daß . . .

Es ist sicherlich kein Zufall (*coincidence*), daß . . .

Am schwerwiegendsten ist der Umstand, daß . . .

Und schließlich noch eine andere Frage:

Es besteht [die Gefahr], [die Möglichkeit,] daß . . .

im übrigen . . . (*besides, . . .*)

das Dilemma beseitigen

Fields of Interest affected

Das kommt wohl [politischen] [wirtschaftlichen] Interessen entgegen, nimmt aber auf moralische Bedenken keine Rücksicht (*does not take moral considerations into account*).

Kann man es dem . . . übelnehmen, wenn . . . (*can you blame . . . if . . .*)

[körperliche] [geistige] [seelische] Schäden

Das Problem rückt aus dem Erziehungsfeld in das Feld der großen Weltpolitik.

Presenting Facts and Figures

Das Gallup-Institut führte eine Befragung durch.

die Frage: das Ergebnis:

65 Prozent der Befragten antworteten . . .

Der Prozentsatz, der mit . . . antwortete, ist überraschend hoch.

durchschnittlich nur 30 von 100 Menschen

nach [pessimistischen] [fachmännischen (*expert*)] Schätzungen (*estimations*)

mit gewohnten Maßstäben gemessen (*measured by normal standards*)

jemanden einem Testverfahren unterwerfen

etwas auf die Probe stellen

Weighing the Pros and Cons

Ein großer Vorteil springt ins Auge. . . . Anderseits ist auch ein großer Nachteil sofort herausgreifbar.

Diese Methode, so interessant sie ist, wird viel Widerspruch hervorrufen (*will arouse a good deal of opposition*).

Wenn darauf hingewiesen wird, daß . . . , so ist das höchst oberflächlich gedacht (*that is an extremely superficial judgement*).

Diese für die Jugend so herrliche Wohltat entpuppt sich (*turns out to be*) bei genauerem Hinsehen als eine wahre Geißel (*scourge*).

Vorteile und Nachteile müssen gegeneinander abgewogen werden.

Einige sagen . . . Andere dagegen . . .

Viele werden aber einwenden (*raise the objection*), daß . . .

das Kind mit dem Bade ausschütten (*throw out the baby with the bath-water*)

Conclusion

Die Frage wird weit genauer zu beurteilen sein, wenn wir das neue System im Testverfahren einmal erprobt haben.

Ich bin überwiegend [für] [gegen] diesen Plan . . . unter der Voraussetzung / vorausgesetzt (*provided*), daß . . .

Mit Moral oder Unmoral hat das nichts zu tun, sondern mit der Frage, ob . . .

Wahrscheinlich liegt ein gangbarer Weg in der Mitte.

Die Frage muß mit einem entschiedenen (*decisive*) [Nein] [Ja] beantwortet werden.

I. CRIME AND DELINQUENCY

1. THE TEENAGER PROBLEM

Ist unsere Jugend verdorben und schlecht?

„ Wenn einer furchtbar auf die sogenannten Halbstarken und auf die Jugend von heute schimpft, verteidige ich diese Jugend," sagt Professor Bondy . . . Was ist das: die Jugend? Ein sehr vager Allgemeinbegriff. Wir Erwachsenen sehen sie jeden Tag in vielerlei Gestalt. In engen Röhrenhosen, mit knappsitzenden Pullovern. Mit einem seltsamen Haarschnitt und manchmal sogar mit schüchtern wachsenden Vollbärten — die offenbar eine besonders attraktive Männlichkeit demonstrieren sollen. Sie haben ihre ‚ Hot-Clubs ‘ auch in den kleinen Städten, erschrecken die Bürger mit ihren viel zu lauten Mopeds und ihren viel zu lauten Reden. Ist diese Jugend schlecht?

„ Natürlich ist unsere Jugend nicht verdorben und nicht schlecht," sagt Prof. Bondy, „ keine Jugend ist von Grund auf schlecht. Aber was haben wir — die Erwachsenen — denn heute der Jugend zu bieten? Wir bieten ihnen einen technischen Fortschritt auf allen Gebieten. Kinder sitzen vor dem Fernsehapparat, weil die Mutter keine Zeit für sie hat. Der Vater muß arbeiten, arbeiten, arbeiten — damit dieser Fernsehapparat bezahlt werden kann. Mutter hat eine elektrische Waschmaschine, und man plant schon die Ausgaben für einen Wagen . . .

„ Aus meiner langjährigen Erfahrung heraus glaube ich, daß unser sogenanntes Wirtschaftswunder Schuld daran trägt, wenn über die ‚ Jugend von heute ‘ soviel geredet wird. Die Jugend glaubt den Eltern einfach nicht mehr . . ."

Die Eltern wissen oft nur wenig von ihren Kindern. Aber wer soll denn diese Kinder erziehen? Prof. Bondy ist der Ansicht, daß hier das Kernproblem liegt. „ Unsere Jugend sucht sehr nach persönlicher Bindung," sagt er, „ aber schon in

frühester Kindheit wird sie jetzt schamlos verwöhnt. Die
Eltern schicken ihre Kinder am Sonnabend oder Sonntag ins
Kino oder sonstwohin. Nur damit diese Eltern ihre Ruhe
haben."

September 7, 1958
(*Copyright:* Die Welt, Hamburg)

Amerikanischer Alltag 1957

Noch ein neuer sozialer Begriff wird in einem Mosaik des
amerikanischen Alltags von heute immer wieder auftauchen:
Der der , Suburbia ', der Vorstadt. Er ist aus der Bewegung
, Heraus aus den Städten ' entstanden. Diese Bewegung ist verknüpft mit dem Aufstieg der Mittelschicht zu einem Wohl-
stand, der früher den oberen Einkommengruppen vorbehalten
war. Die Riesenmenge der leitenden Angestellten der Industrie
lebt in den neuen, oft eleganten, wenn auch etwas eintönigen
Villensiedlungen rund um die Städte.

Aber das Leben in den , Suburbias ' hat manche Folgen, die
die Beobachter der amerikanischen Gesellschaft beunruhigen,
die Soziologen, Psychologen, Biologen. Einige dieser Folgen
hat der Psychiater Dr Henry A. Davidson beschrieben: „ Die
Gemeinschaft einer , Suburbia ' wird von Frauen beherrscht.
Die Männer begeben sich früh in die Städte, um zu arbeiten.
Außer während der langen Wochenenden (praktisch zweiund-
einhalb Tage) regieren tagsüber Frauen über Kinder. Es ist fast
eine Rückkehr zum Matriarchat, zur Herrschaft der Mütter.
Die Schulen, die Bürgerorganisationen werden von Frauen
kontrolliert. Und eine gewisse Gleichheit und Gleichförmig-
keit der Anschauungen wird noch durch das enge Nachbar-
schaftsverhältnis gesteigert. Dadurch wächst das Kind allzu
beschützt auf. Die Kinder lernen nicht mehr, auf sausende
Autos aufzupassen, geschweige denn, sich vor Schlangen in
Wäldern in acht zu nehmen oder Ströme auf Flößen zu über-
queren, wie es früher zum Leben des amerikanischen Jungen
gehörte. Die Jugend, so meint der Psychiater, wird , verweich-
licht '. Die Tradition der Gewalttätigkeit, die in der älteren

Generation oft noch so spürbar ist, ist aus dem Grenzerdasein des früheren Amerika entstanden. Jetzt aber hat Amerika sich zu einer Nation von Vorstadtbewohnern gewandelt."

May 5, 1957

(*Copyright:* Die Welt, Hamburg)

SUPPLEMENTARY MATERIAL

Das Problem der ‚ Halbstarken ' (teenage hooligans)

der Teenager / der Halbwüchsige (*adj. decl.*) / der Gammler
der Backfisch / das Mädchen im Backfischalter (*teenage girl*)
noch in den Flegeljahren sein (*to be still at a loutish age*)
den Flegeljahren entwachsen (*to grow out of one's teenage ways*)
Er hat den Stimmbruch noch nicht hinter sich (*his voice hasn't yet broken*).
minderjährig (*under age*) sein
die Jugendkriminalität
das Rabaukentum / das Rowdytum (*hooliganism*)
der Krawall (*brawl*)
die Schlägerei (*scuffle*) mit der Polizei
die Zunahme (*increase*) der Fälle von Trunkenheit
die extravagante Kleidung / die ‚ Blue Jeans ' — blaue genietete Drillichhosen
die Lederjacke
der Mop-Kopf / der ‚ Pilzkopf '

Worauf ist das jugendliche Rowdytum zurückzuführen?

auf [ungünstige häusliche Verhältnisse] [zerstörtes Familienleben] [Mangel an Aufsicht (*lack of supervision*)]?
Was ist eigentlich los mit der Jugend von heute?
Ist das Rabaukentum eine Folgeerscheinung unserer ‚ Wohlstandsgesellschaft ' (*a phenomenon brought about by our Welfare State*)?
Spielt die berufstätige Mutter eine Rolle? — eine Repräsentativerhebung (*sample poll*) für das Bundesgebiet stellt fest, daß rund 25 bis 30 Prozent der Schulkinder ‚ Schlüsselkinder ' sind; das heißt, sie tragen die Wohnungsschlüssel um

den Hals, weil ihre Mütter erwerbstätig (*engaged in employment*) sind.

Gibt es heutzutage zu viel [Vorsorge] [Sicherheit] — kein Ventil für die Unternehmungslust (*outlet for the spirit of enterprise*)?

Hat die Jugend von heute zu viel Geld und zu viel Freizeit?

Ein Zwanzigjähriger kann soviel wie sein Vater verdienen.

Schaden der Jugend die Kriminal- und Schundliteratur (*trashy crime stories*), Gauner- und Verbrecherfilme (*films about rogues and criminals*)? Ist die Pop-Musik an allem schuld?

Sind die jungen Menschen überfordert (*do we make too many demands on young people*)? Werden sie im Beruf, im Elternhaus zu früh als Erwachsene genommen?

Seit Februar 1970 sind ungefähr 3 Millionen britische Teenager volljährig und wahlberechtigt (*of age and eligible to vote*). Auch in der Bundesrepublik ist das Wahlalter auf 18 Jahre herabgesetzt worden.

Alkohol und Rauschgift (drugs)

Jeden Tag fahren junge Leute mit dem Auto oder mit dem Fahrrad in einen allzu frühen Tod.

In der Bundesrepublik sind nahezu 50 000 Mädchen und Jungen unter 21 Jahren dem Alkohol ergeben (*addicted*).

In vielen Weltstädten werden unter jungen Oberschülern schon Fälle von Rauschgiftsucht (*drug addiction*) aufgedeckt. Das Geld beschaffen sich die Kinder durch Ladendiebstähle (*shoplifting*). In den ersten 3 Monaten 1970 starben 34 Kinder und Teenager in New York an einer Überdosis von Heroin.

Wie sollte man jugendliche Verbrecher bestrafen?

In vielen Städten Amerikas werden die Eltern gestraft. Aber kann man einen Menschen für das Vergehen eines anderen verantwortlich (*responsible*) machen, selbst wenn er derselben Familie angehört?

In England gibt es an Sonnabenden Kurse unter Polizeiüberwachung als Zuchtmittel für weniger ernste Vergehen. Für ernstere Vergehen gibt es Jugendlager.

Sollten die Eltern ihren Kindern zuweilen eine Ohrfeige (*box on the ears*) geben? Könnte ein bißchen handfeste Erziehungskunst Polizeiaufgebote unnötig machen?
Das ganze Problem macht den Sozialfürsorgern (*social welfare workers*) viel Kopfzerbrechen.

2. CRIME AND PUNISHMENT

Alle 30 Stunden ein Mord

Eine Verbrechensstatistik droht in den USA einen innenpolitischen Skandal auszulösen: Alle 30 Stunden geschieht in der amerikanischen Bundeshauptstadt ein Mord. Zwanzigmal am Tage werden Bürger der Regierungsmetropole des reichsten westlichen Landes unter Waffengewalt beraubt. Diese schwarzen Zahlen, die jetzt in Washington veröffentlicht wurden, haben einen Sturm der Entrüstung ausgelöst. Präsident Nixon hatte im Wahlkampf versprochen, Washington wieder ,sicher' zu machen. Polizeichef Wilson stellte inzwischen seinen Polizeioffizieren ein Ultimatum.

Die Angst, am hellichten Tag mit einer Waffe bedroht oder von einem Totschläger niedergestreckt zu werden, hat die Einwohner der amerikanischen Hauptstadt in die Vorstädte getrieben und Washington nachts praktisch veröden lassen. Nach den jüngsten Zahlen wurden in den vergangenen zwölf Monaten 291 Menschen in der US-Regierungsmetropole ermordet. Im Jahre 1968, dessen Verbrechensstatistik von der US-Bundesregierung als ,schockierend' bezeichnet worden war, registrierte man 209 Mordopfer.

Die bewaffneten Raubüberfälle in Washington erhöhten sich im vergangenen Jahr von 4640 auf 7071, die Zahl der Vergewaltigungen stieg von 260 auf 326. Fast unvorstellbar: In der Stadt des Weißen Hauses wird beinahe jeden Tag eine Frau vergewaltigt.

January 4, 1970
(*Copyright:* Die Welt, Hamburg)

Sind Zuchthäuser überholt?

Das Gefängniswesen versagt, weil es zuviel auf einmal will. Es will Strafe, Abschreckung, Sühne und schließlich auch Vorbereitung des Häftlings auf ein besseres Leben. Die drei ersten Zwecke verlangen einen harten, einen negativen Vollzug. Milde schreckt nicht ab. Der letztere, Vorbereitung auf Wiedereingliederung in die Gesellschaft, erfordert einen positiven, verständnisvollen Strafvollzug. Beides schließt einander fast aus.

Ich glaube nicht an die Abschreckung. Niemals gab es so viele Gewaltverbrechen wie in den Jahrhunderten, als auf fast jedes Delikt die Todesstrafe stand und nur die Art der Vollstreckung unterschiedlich war. Dazwischen steht nun die Sühne. Aber was ist Sühne? Bei dem Wort Sühne klingt schon ein wenig das Wort Versöhnung mit. Unser Gefängniswesen stammt aus einer Zeit, wo man den positiven Gedanken der Aussöhnung noch nicht hatte. Es ist, in fast allen seinen Bestimmungen, negativ ausgerichtet. Heute aber sollte der Mensch, nicht der Paragraph im Mittelpunkt stehen. Der Einzelmensch wie die Gesellschaft.

Durch nichts besser könnte dieser Gesellschaft gedient werden als dadurch, alle Anstrengungen darauf zu konzentrieren, der Gesellschaft möglichst viele Gestrauchelte als ordentliche Menschen wieder zuzuführen. Würde dieser Gedanke als oberster Grundsatz in das Gefängniswesen eingeführt werden — ich bin überzeugt, man könnte 70 Prozent oder mehr aller heute noch eintretenden Rückfälle vermeiden.

Aber es liegt nicht am Strafvollzug allein. Gerade von seiten der Öffentlichkeit wird ein ständiger Druck auf die Verwaltung ausgeübt, der alle Reformversuche in positiver Richtung hemmt. Das Publikum verlangt endgültig ‚ Sicherheit ‘ und völlige Verbüßung der ganzen Strafzeit mit allen Mitteln der Härte. Damit wird bestenfalls erreicht, daß meistens Häftlinge durch jahrelanges eisiges Mißtrauen so verbittert sind, daß sie als bewußte Feinde der Gesellschaft in diese zurückkehren. Wem ist damit gedient?

December 1, 1957
(*Copyright:* Die Welt, Hamburg)

Die Gewalttat auf offener Straße (violence in the streets): *welche Maßnahmen* (measures) *sollten die Behörden* (authorities) *einleiten?*

1968 wurden in New York folgende Verbrechen registriert: 904 Morde; 1840 Vergewaltigungen; 54 405 Raubüberfälle; 173 559 Einbrüche (*burglaries*); 74 440 Autodiebstähle.

Welche Rolle spielen dabei ungünstige Sozialverhältnisse (*adverse social conditions*)?

Die Todesstrafe

In den meisten zivilisierten Ländern der Welt ist die Todesstrafe fast völlig abgeschafft; sie gilt als eine barbarische Einrichtung (*institution*).

Die Vollstreckung der Todesstrafe ist unwiderruflich (*irrevocable*); es ergibt sich gelegentlich der Fall, wo nach der Hinrichtung (*execution*) des für schuldig Erklärten neue Beweise (*fresh evidence*) ihn von der Mordschuld reinwaschen.

Möchten Sie Henker (*hangman*) sein, oder einer Hinrichtung als Augenzeuge beiwohnen?

Gefängniswesen

der Erstbestrafte (*adj. decl.*) (*first offender*)

der Gestrauchelte (*adj. decl.*) (*petty offender*)

der Gewohnheitsverbrecher (*hardened, habitual criminal*)

sich durch Verbrechen außerhalb der Gemeinschaft stellen

Was sollte eigentlich das Ziel des Gefängniswesens sein? Strafe? Abschreckung? Sühne?

Kann und sollte ein Häftling (*prisoner*) auf ein besseres Leben vorbereitet werden?

die Gefängnisreform

die Rolle der Erziehung im modernen Strafrecht (*penal law*)

Sträflingsfürsorge (*prison welfare work*)

Sollten die Häftlinge bei guter Führung (*good conduct*) Ausgang (*walking-out pass*) und Urlaub, ja sogar Löhne bekommen?

die Rolle der öffentlichen Meinung (*public opinion*)

Neue, geräumige Strafanstalten sind dringend erforderlich.

II. EDUCATION

Notstand an den Grundschulen

Wer sein Kind auf eine bundesdeutsche Grundschule schickt, muß wissen, daß es dort weniger Bildungsmöglichkeiten hat als seine Altersgenossen sonstwo in Europa.

Die Menschen, die im Jahre 2000 als Wissenschaftler und Techniker, als Forscher und Facharbeiter dafür verantwortlich sind, wo Deutschland seinen Platz unter den anderen Nationen haben wird, sitzen heute auf Schulbänken, die noch nach dem Maß des 19. Jahrhunderts zugeschnitten sind. Und sie sitzen unbequem.

· · ·

Dazu Oberstudienrat Dr. Hans Arno Horn von der Abteilung für Erziehungswissenschaften an der Universität Frankfurt: „Den jüngsten, auf besondere Zuwendung des Lehrers angewiesenen Schülern, mutet unsere Gesellschaft zu, das Lernen in Großverbänden zu vollziehen."

Auf Grund pädagogischer und psychologischer Untersuchungen kommt der Erziehungswissenschaftler Professor Erwin Schwarz zu der Forderung: „Klassenfrequenzen sind um so niedriger zu halten, je jünger die betreffenden Schüler sind."

Auf Grund längst überholter Vorstellungen hält man es aber gerade umgekehrt: dem Durchschnitt von 36 Schülern pro Grundschul-Klasse stehen nur 20 Gymnasiasten je Klasse gegenüber.

Nach Angaben der Kultusminister fehlen in der Bundesrepublik 20 000 Lehrer für die Grundschulen. In Wirklichkeit kann man diese Zahl getrost verdoppeln.

· · ·

Nach Feststellungen des nordrhein-westfälischen Kultusministeriums haben sich mehr als 7 von 10 Studenten der pädagogischen Hochschulen dieses Landes für den Dienst in der höheren, aber nur knapp 3 von 10 für eine Arbeit in der Grundschule entschieden.

March 15, 1970
(*Copyright:* Die Welt, Hamburg)

SUPPLEMENTARY MATERIAL

Werden die Kinder auf der höheren Schule überfordert?
Wenn ja, wie sollte man sie entlasten (*lighten their burden*)?
Kann das Schulpensum ohne [körperliche] [geistige] Schäden bewältigt werden?
den Lehrstoff / das Schulpensum bewältigen (*to cover the curriculum*)
der Durchschnittsschüler
sitzenbleiben (*to be kept down for another year*)
versetzt werden: die Versetzung (*promotion*)
mit Hochdruck arbeiten
spät über seiner Arbeit sitzen
Er ist in der Mathematikprüfung durchgefallen.
der Fachlehrer (*specialist teacher*)
ein gleichmäßiges Niveau (*an equal standard*)
Der Gesamtunterricht geht zu früh zur Fächerung über (*transition from general to specialized study takes place too early*).
Sind Sie für oder gegen die Gesamtschule (*comprehensive school*)?

Wozu dient ein Elternverein / ein Elternrat (Parent-Teacher Association)?
der innige Kontakt zwischen Elternhaus und Schule
gemeinsame (*common*) Probleme diskutieren
die Mitverantwortlichkeit der Eltern

Werden neue Erfindungen den Lehrer eventuell ersetzen?
Unterricht durch Radio, durch das Fernsehen, mittels Tonband, Schallplatten?

Sex-Aufklärung im Schulfernsehen?

In drei Berliner Grundschulen lernen die Kinder Schreib-
maschinenschreiben (*typing*); nach etwa 2 Jahren Schreib-
maschinenunterricht läßt sich eine Verbesserung in der
Orthographie um etwa 20 bis 30 Prozent nachweisen.

das Tonbandgerät / das Magnetophon / der Tonbandapparat /
der Aufnahmeapparat (*tape-recorder*)

auf Tonband aufnehmen (*to record on tape*)

das Anschauungsmaterial (*visual aids*)

das Sprachlabor(atorium) (*language laboratory*)

Das Problem der Freizeit

Sind Sie Mitglied [einer Jugendgruppe] [eines Klubs] [eines
Schulvereins]? Wozu dienen diese Organisationen?

der Diskutierklub / der Debattierklub

sich mit einem Hobby / Steckenpferd beschäftigen

die Gemeinschaftskunde / die staatsbürgerliche Bildung (*civics*)

Ist bei Ihnen Sonnabend schulfrei? Viele deutsche Schüler und
Eltern verlangen eine Fünf-Tage-Woche.

Der Lehrermangel

Es fehlten 1970 in der Bundesrepublik 150 000 Lehrer.

der Mangel an Wissenschaftlern (*shortage of scientists*)

Rußland wird bis 1975 drei Millionen neue Ingenieure haben.
China hat die Absicht, von 1975 an jährlich so viele Ingenieure auszubilden wie die gesamte andere Welt, einschließ-
lich Rußland, zusammen.

der Hilfslehrer (*supply teacher, part-time teacher*)

Lohnt es sich, Lehrer zu werden?

Ein Bericht, der 1970 erschien, sprach von einer Steigerung der
Anzahl von Studenten an britischen Universitäten von
212 000 im Jahre 1968–9 bis 450 000 im Jahre 1979–80. Es
muß auch dazu mit 400 000 Studenten an pädagogischen
Hochschulen (*colleges of education*), technischen Hoch-
schulen, usw. gerechnet werden. Zu diesem schnellen
Zuwachs tragen drei Faktoren bei: die zunehmenden
Geburtenziffern (*birth-rate*); die Tendenz, freiwillig immer

länger auf dem Gymnasium zu bleiben; und die Erhöhung des schulpflichtigen Alters auf 16. Man schätzt, daß die jährlichen Geburtenziffern bis 1986 eine Million erreichen werden.

Sollte der Primaner (Sixth-former) *sich einen Ferienjob suchen?*
einen Einblick in die Welt der Erwachsenen gewinnen (*to gain an insight into adult life*)
seiner sich durchkämpfenden Familie helfen (*to help out one's struggling family*)
Braucht der Schüler nicht die Ferien, um sich körperlich zu erholen (*to recuperate physically*)?

Religionsunterricht in der Schule

In England muß der Schultag durch Parlamentsbeschluß mit einem gemeinsamen Schulgebet anfangen. Auch sind Religionsstunden für alle Klassen obligatorisch. (Kein Kind ist aber gezwungen, gegen den Willen seiner Eltern am Schulgebet oder am Religionsunterricht teilzunehmen.)
Gehört der Religionsunterricht, Ihrer Meinung nach, in die öffentliche / staatliche Schule? Ist es wahr, wie die Freidenker behaupten, daß nur eine Minderheit (*minority*) gläubiger Christen diesen Unterricht für ihre Kinder will?

Revolution im Klassenzimmer

sich an Aufmärschen und Protestdemonstrationen beteiligen
die Schülermitbestimmung (*pupil participation*) bei der Gestaltung des Lehrplans (*framing of the curriculum*)
Sollten Zensuren und Prüfungen abgeschafft werden?
Opas (*grandpa's*) Schule ist tot!

III. MEDICINE

A Healthy World?

Gasmasken für unsere Kinder?

„Wenn wir nicht schnellstens handeln", fürchtet Bundesinnenminister Hans-Dietrich Genscher, „werden meine Enkelkinder eine Gasmaske aufsetzen müssen, wenn sie draußen spielen wollen."

Schon jetzt wird deutsche Luft durch jährlich zwölf Millionen Tonnen Staub, Schwefeldioxyd und Kohlenmonoxyd dermaßen verpestet, daß Genschers Tochter Martina (7) — lebte sie in Industrierevieren — Atembeschwerden, Bewußtseinstrübung oder Vitamin-D-Mangel fürchten müßte.

Mit sicherem Gespür für populäre Themen hat sich Freidemokrat und Nichtraucher Genscher auf der letzten Kabinettssitzung an die Spitze der Bewegung zum Kampf gegen Schmutz zu Lande, zu Wasser und in der Luft gesetzt.

Denn der deutsche Mensch leidet nicht nur Atemnot:

Jeder dritte Schluck Wasser, den er trinkt, ist schon durch andere Kehlen oder Betriebsgullys gelaufen. Nur ein Viertel der Haushaltsabwässer fließt einwandfrei gereinigt in die Gewässer zurück.

Zwei Drittel der Westdeutschen können ihren Abfall nicht unschädlich loswerden. 95 Prozent der Müllplätze verunreinigen das Grundwasser, verpesten die Luft und bergen Seuchengefahr.

Die Autoabgase haben wegen ihres Bleigehalts die Grenze krebsfördernder Wirkung erreicht; die Dunstglocke über dem Ruhrgebiet ist bereits so dicht, daß sie nur noch 70 Prozent des Sonnenlichts durchläßt.

May 17, 1970
(*Copyright:* Die Welt, Hamburg)

28

Die Luftverseuchung / Luftverpestung (air pollution)

Jährlich verpesten 12 Millionen Tonnen Gift (*poison*) deutsche Luft.

Ein ähnliches Problem: die Ölpest. Wie können die riesigen Öllachen (*oil 'slicks'*), die nach Tankerunfällen auf dem Meer entstehen, bekämpft werden?

Medizin und Ethik

Zwischen Dezember 1967 und März 1970 sind ungefähr 150 Herztransplantationen ausgeführt worden. Etwa 110 der operierten Personen sind seither gestorben.

jemandem ein fremdes Herz einpflanzen

Der Körper versucht, das fremde Organ abzustoßen (*reject*).

In England sprechen die medizinischen Fachleute von der Möglichkeit, ein ‚Baby aus der Retorte' (*test-tube baby*) zu zeugen.

Haben Sie starke ethische Bedenken (*moral scruples*) über solche Vorgänge (*procedures*)?

Das Problem der Übervölkerung

Bei der heutigen Zuwachsrate werden im Jahre 2009 sieben Milliarden (*7,000 million*) Menschen auf der Erde leben!

Die Bevölkerungsexplosion ist die furchtbarste Drohung, der sich die Menschheit in unserem Zeitalter gegenübersieht (*is confronted with*) — weit gefährlicher als Kriege und Katastrophen.

Das Zeitalter der Pille (The ' Aspirin Age ')

Kann der moderne Mensch ohne [Schlafmittel] [Schmerztabletten] [Beruhigungspillen (*tranquillizers*)] überhaupt leben?

die Pillensucht

der Süchtige (*adj. decl.*) (*addict*)

das Rauschgift (*narcotic*)

Gesundheitsschäden (*harmful effects on the health*)

Oft kann man sich eine Krankheit einbilden (*imagine*), und Tabletten sind im Grunde nicht nötig. Das Geld dafür könnte man besser anwenden.

der Kassenarzt (*panel doctor*)

rezeptpflichtig (*available only by prescription*)

Schlaf- und Beruhigungsmittel werden für den Kraftfahrer besonders gefährlich, wenn er Alkohol zu sich nimmt. Denn schon ein Glas Bier oder Wein kann verursachen, daß der Kraftfahrer wie ein Betrunkener handelt.

die Tragödie der Contergan-Kinder (*thalidomide babies*)

Das Problem des Lärms im heutigen Leben

Der unaufhörliche Lärm der Kraftfahrzeuge in unseren Städten, auch in Dörfern und sogar Kurorten (*health resorts*), belastet die Menschen in zunehmendem Maße.

Sollte man nicht im Interesse der Gesundheit der Bevölkerung Maßnahmen ergreifen (*take measures*) gegen diese Geißel (*scourge*)?

Fluor (n.) aus dem Wasserhahn (tap)?

Das Trinkwasser in der deutschen Stadt Kassel wurde versuchsweise (*by way of experiment*) fluoridisiert. Das Ergebnis: Rückgang der Karies (*decrease in dental decay*) bis zu 30 Prozent.

Sollten auch die englischen Behörden dem Trinkwasser Fluor zusetzen?

IV. WOMEN IN SOCIETY

1. EQUAL RIGHTS FOR WOMEN

1. Juli 1958: Das ist der Tag der Frau

In acht Tagen wird in der Bundesrepublik Tatsache sein, was vor mehr als einem halben Jahrhundert britische Suffragetten in unschicklichen Auseinandersetzungen mit den Gummiknüppeln Londoner Polizisten zu verwirklichen wünschten: Die Gleichberechtigung zwischen Mann und Frau. Am 1. Juli 1958 tritt das vor einem Jahr vom Bundestag verabschiedete Gesetz in Kraft, das die Ehe und vor allem den ehelichen Güterstand juristisch revolutioniert. Der Begriff, der den gesetzlichen Status der Ehe geradezu umkrempelt, heißt ‚ Zugewinngemeinschaft ‘ —, sehr simpel interpretiert bedeutet das: die Hälfte gehört der Frau . . .

Die Ehefrau des Jahres 1958 läßt sich, wenn überhaupt, die Bedeutung des neuen Gesetzes von ihrem Gatten erklären. Sie hört sich gelassen an, welche Vorrechte sie in der Zukunft haben wird. Sie erfährt, daß ihr bei einer Scheidung genau die Hälfte des Vermögens auszuzahlen ist, das während der gemeinsamen Ehe in der Familie erworben wurde. Sie vernimmt, daß ihr diese ‚ Abfindung ‘ auch dann zusteht, wenn sie an der Scheidung schuld ist — oder keinen Handschlag getan hat, um dieses Vermögen in die Ehe einzubringen.

Die ehrenwerte Gattin weiß dann auch, daß sie, falls sie Witwe werden sollte, die Hälfte der Erbmasse ihres Mannes erhält (früher nur ein Viertel) — und sie ist nicht wenig überrascht, zu hören, daß ihr das Gesetz die Möglichkeit gibt, über einen Gerichtsbeschluß die Leidenschaften und Hobbies ihres Mannes zu kontrollieren — falls diese Hobbies und Leidenschaften den ‚ Zugewinn ‘ schmälern oder gefährden.

Das alles und wahrscheinlich noch mehr, wird den Frauen in diesen Wochen von ihren Männern erläutert oder durch die einschlägige Lektüre auf den Frühstückstisch gelegt . . .

In neun von zehn Fällen (diese Zahl ist verbürgt) wird die Ehefrau den Ehemann anblicken, nachsichtig lächeln und sagen: ,, Das ist ja alles sehr interessant, mein Lieber, aber was um Himmels willen geht das uns an?..."

June 22, 1958
(*Copyright:* Die Welt, Hamburg)

Mehr Taschengeld für die Hausfrau!

Jetzt haben auch die Hausfrauen eine Aufbesserung ihres Taschengeldes verdient! Diese Ansicht vertreten übereinstimmend die Verbraucherverbände und die Experten in den hauswirtschaftlichen Beratungsstellen. Daß sie gerade jetzt daran erinnern, hat folgenden Grund: Viele Arbeitnehmer haben in den letzten Wochen Lohn- und Gehaltserhöhungen bekommen. Dennoch klagen viele Ehefrauen in den Beratungsstellen: ,,Wir haben noch nichts davon gemerkt, daß mehr Geld in der Familienkasse ist."

.   .   .

Beraterin Hanna Brück empfiehlt ratsuchenden Hausfrauen, die über eine zu geringe oder gar keine Beteiligung an den Lohnerhöhungen klagen: ,,Führen Sie genau Buch über alle Ausgaben. Dann können Sie Ihrem Mann stichhaltig beweisen, was teurer geworden ist, und daß Sie mehr Haushaltsgeld benötigen. Außerdem sollten Sie Ihren Mann überreden, am freien Sonnabend einmal selbst einzukaufen. Das hat vielen Männern schon die Augen und das Portemonnaie geöffnet."

January 11, 1970
(*Copyright:* Die Welt, Hamburg)

SUPPLEMENTARY MATERIAL

Welche Eigenschaften (qualities) *soll [Ihre künftige Gattin] [Ihr künftiger Gatte] haben?*

soll gerecht, verstehend, warmherzig, häuslich, kinderlieb, zuverlässig (*reliable*) sein: gleiche Religion, gleiche Hobbys, gleichen Sinn für Humor haben: sportliebend / **sportlich** sein: im großen und ganzen dieselbe Weltanschauung haben (*to have roughly the same outlook on life*).

kunstbegeistert (*interested in the arts*), gebildet (*cultivated*), vielseitig interessiert, gutaussehend, schlank, fröhlich, gesund sein.

geistig auf gleicher Höhe stehen (*to be on the same intellectual level*)

ein geschäftstüchtiger Partner

Vor allem, darauf achten, daß der künftige Partner noch ledig ist!

Gleichberechtigung vor dem Traualtar (equality of rights at the wedding altar)

Soll die Frau dem Mann Gehorsam versprechen (*promise to obey*)?

Das schwache Geschlecht (the weaker sex)?

Trotz der neuesten technischen Errungenschaften (*achievements*) muß die Durchschnittshausfrau (Ehemann, zwei Kinder) jährlich:

2000 km zurücklegen (*cover*), um die Nahrung für vier Personen aus nahe gelegenen (*nearby*) Geschäften zu beschaffen und die Wohnung sauberzuhalten.

30 000 qm Fußboden putzen, was der Größe eines Fußball-stadions entspricht (*is equivalent to*).

60 Zentner Lebensmittel (*hundredweights of provisions*) nach Hause schleppen, wenn ihr Mann keine Zeit findet, ihr die schwersten Lasten abzunehmen.

Was halten Sie von dem Prinzip: ‚Gleicher Lohn für gleiche Arbeit'?

Wenn die Frau dieselbe Arbeit leistet wie der Mann und einen niedrigeren Lohn bekommt, dann hat die Gleichberechtigung keinen Sinn. Oft hat die Frau eine Familie zu ernähren, in der der Vater durch Tod oder Krankheit ausgefallen ist.

Sollten der Frau alle Laufbahnen offen stehen?

Kann die Frau in jeder Arbeit dasselbe leisten wie der Mann?

körperschadende Arbeit / Schwerarbeit
die Rolle der Frau in Rußland
Sollte die Frau die Laufbahn eines Pfarrers (*parson*) einschlagen (*take up*)?
Sollte der ältere Geschäftsmann der achtzehnjährigen Steno-typistin seinen Platz in der Straßenbahn anbieten?

2. NURSING AS A CAREER

Keine Zeit zum Atemholen

Arbeiten — schlafen — arbeiten — schlafen, das ist der der-zeitige Lebensrhythmus von Else, 19 Jahre alt, schwarze Haare, braune Augen, also hübsch, gebürtig aus Halle an der Saale, Flüchtling, jetzt Hausmädchen im Evangelischen Krankenhaus in W., wo sie arbeitet und schläft und schläft und arbeitet — immerzu, Woche für Woche im öden Einerlei.

. . . Auch Schwester Anita. Denn obwohl sie sich Schwester nennen darf und ein Häubchen trägt, ist ihr Dienst genau so lang und genau so anstrengend wie der von Else . . .

Dabei hat Anita sich gern zum Schwesternberuf entschlossen. Der Dienst an den Kranken macht ihr Freude. Richtiger: er hat ihr Freude gemacht. Ein kleines bißchen Privatleben näm-lich hätte sie gern behalten. „ Ich bin doch nicht in ein Kloster gegangen. Ich habe doch mit der Welt nicht abgeschlossen." Praktisch aber hat sie abgeschlossen. 69 Stunden pro Woche muß sie arbeiten. Damit liegt sie nur wenig über der durch-schnittlichen Arbeitszeit der Schwestern, die kürzlich mit 63 Stunden errechnet wurde . . .

Die Schwester Oberin ist da anderer Meinung. „ Ich weiß," sagt sie oft, „ die Schwestern und die Mädchen haben einen schweren Dienst. Aber sie haben einen schönen Dienst, den Dienst am Kranken, den Dienst der Nächstenliebe. Das allein müßte sie doch froh und zufrieden machen." Und: „ Wir haben früher noch mehr gearbeitet — 70 Stunden die Woche — und es hat uns nichts geschadet. Die Mädchen heute wollen nicht mehr dienen."

June 15, 1958
(*Copyright:* Die Welt, Hamburg)

Supplementary Material

„ Wer wird schon Schwester! ", heißt es. Was meinen Sie?

Sind die Krankenschwestern überfordert?

ständig auf den Beinen sein

Erfüllung in der Arbeit finden, und nicht nur Geld verdienen

die Hingabe (*sense of devotion*)

die christliche Nächstenliebe

Spielt die Disziplin eine übertriebene (exaggerated) *Rolle im Krankenhaus?*

Haben viele junge Mädchen Angst vor dem Feldwebelton (*sergeant-major attitude*) und dem Kasernendrill (*barracks discipline*) in unseren Krankenhäusern? Viele alte Schwestern haben zu ihrer Zeit eine überaus strenge Ausbildung (*training*) durchgemacht, und können nun den Geist, in dem sie erzogen worden sind, nicht mehr ablegen (*cast aside, give up*).

Aber viele Krankenhäuser haben nichts mehr gegen Fingernagellack (*nail polish*) oder dezente Schminke (*make-up*). Schwestern, die voll ausgebildet (*fully-trained*) sind, verfügen oft über ein eigenes Zimmer.

Sollten nicht hübsche, farbige Kopftücher die steifen Häubchen ersetzen?

V. SPORT

A Soccer Legend

Unvergeßliche Begegnung mit Manchester United (I)

Die Busby-Babys sollen ihr letztes Spiel gemacht haben? Ich kann es nicht fassen. Drei Tage vor ihrem Flug nach Belgrad hatte mich Freund Clarke, den sie den Hausjournalisten von United nannten, angerufen: „Willst du mit nach Belgrad? Ich könnte es arrangieren." Seine Stimme hörte ich zum letztenmal, und was uns verbunden hat, geht wohl über das Übliche hinaus; es war eine Freundschaft, entstanden in schlimmen Tagen, 1946, als es für einen Deutschen in England keine Freundschaft zu geben schien.

Wir verzehrten uns als POWs hinter Stacheldraht und bauten Straßen draußen am Flughafen Ringway von Manchester. Zuerst haben wir kein Wort mit den englischen Arbeitern gewechselt, und wenn, dann nur Worte, die zum Handwerk gehörten. Von Politik war überhaupt nicht die Rede. Aber ganz allmählich gewannen wir Kontakte, allmählich wich das Mißtrauen zwischen uns — und die ersten Worte, die wir miteinander damals redeten, in den Pausen oder auch bei der Arbeit, galten dem Fußball . . .

Und dann gab es für uns POWs ein ganz großes — wie wir meinten — einmaliges Erlebnis: eines Tages fuhr unsere Lastwagenkolonne auf dem Weg zur Arbeitsstätte an den hohen, schmutzig-roten Steinfassaden des City Stadions vorbei, in dem damals auch die United spielen mußte, weil ihr eigenes Stadion von Bomben zerstört worden war. Wahrhaftig: aus nächster Nähe durften wir das große Stadion sehen, und wem das heute nichts mehr besagt, wie einem fußballversessenen POW dabei zumute gewesen sein mag, der hat seinen eigenen Kummer jener Tage schon vergessen.

(Fortsetzung folgt)

Unvergeßliche Begegnung mit Manchester United (II)

Nach dem ‚ großen einmaligen Erlebnis ' dauerte es nicht lange, und es geschah etwas, was wir als Sensation empfanden: unsere Lagermannschaft erhielt die Genehmigung, gegen ein englisches Straßenteam zu spielen. Und der Schiedsrichter war Stan Pearson, Uniteds berühmter Nationalspieler; am Spielfeld seine kaum weniger berühmten Mannschaftskameraden: Rowley, Jack Carey, Mitten, Delaney und der kleine Morris. Neugierig betrachteten sie das Können der ‚ Germans '. Wir haben gut gespielt.

Nach dieser Sensation gab es so leicht nichts mehr, was unsere Erwartungen hätte übertreffen können — : aber wir hatten nicht mit Mr Crickmer gerechnet, Sekretär von Manchester United. (Es ist unfaßlich, daß dieser, unser großer Freund, auch zu den Opfern von München gehört.) Mr Crickmer ließ uns wissen, sein Direktorium würde sich freuen, uns am kommenden Sonnabend als Gäste beim Meisterschaftspiel Manchester United gegen Arsenal zu sehen. Wir haben, sprachlos wie wir waren, nicht gejubelt, sondern stundenlang unsere geflickten, braunen POW-Hosen gebügelt. Und das war so ziemlich die größte Ehre, die wir unseren Gastgebern damals antun konnten.

Bei diesem Spiel hockte Bernd Trautmann, unser Torwart, neben mir, und meinte: ‚‚ Mensch, Günther, einmal wieder da unten bei so einem Spiel zwischen den Pfosten stehen! '' Noch ahnte er nicht, daß er auf diesem Platz zwischen den Pfosten oftmals der Held von Manchester City sein sollte!

February 9, 1958

(*Copyright:* Die Welt, Hamburg)

Manchester fehlte die Kraft

WEMBLEY-STADION, 3. *Mai* 1958

Vor 100 000 Zuschauern — die Gesamteinnahme betrug 600 000 DM — hat Manchester United am Sonnabend in Wembley die stille Hoffnung Tausender von Fußballfans in ganz Europa nicht realisiert. Bolton Wanderers, die klar bessere Mannschaft, gewann das Pokalfinale 2 : 0 (2 : 1) und errang die berühmte Pokaltrophäe. Als der Herzog von Edinburgh Spielführer Lofthouse den , Cup ' erreichte, da brach zehntausendfacher Jubel der Zuschauer los, gleichgültig ob Freund oder Feind.

Mit ernstem, nachdenklichem Gesicht saß Matt Busby auf seinem Platz. Er führte nicht von der Trainerbank aus Regie und er konnte am besten ermessen, wie sich die Katastrophe, das Münchener Flugzeugunglück, ausgewirkt hat. Denn er steht heute vor einem Neuaufbau, und alle, die das große Team von 1948 gekannt haben, die seine Busby-Babys in voller Aktion erlebten, wissen, welche große Lücken gerissen worden sind. An der Berechtigung des Sieges der Bolton Wanderers gibt es nichts zu deuteln.

Von der ersten bis zur letzten Minute stellten die Bolton Wanderers das bessere Team, und auch ein kurzes Aufbäumen Manchesters um die 20. Minute herum mit drei klaren Torchancen konnte die Wanderers nicht am Siege hindern. Erschreckend schwach war die spieltechnische Konzeption Manchester Uniteds; die Spieler operierten viel zu umständlich und zu langsam, und sie ließen alles von dem früher erfolgreichen Kombinationsfluß vermissen.

May 4, 1958
(*Copyright:* Die Welt, Hamburg)

SUPPLEMENTARY MATERIAL

Es gelingt ihm, bis zum Semifinale zu halten.
die Seitenwahl gewinnen
der Seitenwechsel / die Halbzeit
der Abpfiff (*final whistle*)
, abseits ' reklamieren (*to appeal for offside*)
einen Protest nicht gelten lassen (*to disallow an appeal*)
Der Schiedsrichter schickt den Spieler vom Platz (*sends him off the field*).
ein Tor schießen
den Eckball einschießen / einköpfen
ein übles Foul
der Strafraum (*penalty area*)

zur Führung kommen / in Führung gehen / die Führung gewinnen
auf einer Bahre hinausgetragen werden (*to be carried off on a
   stretcher*)

Die Fußballmannschaft

der Torwart / Torwächter / Torhüter / Tormann
rechter Verteidiger   linker Verteidiger
rechter Läufer   Mittelläufer   linker Läufer

rechter	halbrechter	Mittel-	halblinker	linker
Stürmer	Stürmer	stürmer	Stürmer	Stürmer
(der Flügel-	(der Innen-			
stürmer)	stürmer)			

*Sollte ein verletzter Fußballspieler (oder wenigstens der verletzte
   Torwart) ausgewechselt werden?*
z.B., der Torwart von Manchester United wurde im Pokalend-
   spiel 1958 schon zu Beginn verletzt und durfte nicht ersetzt
   werden.

Spielt der Sport in England eine übertriebene Rolle?
der Sport dient der Gesunderhaltung des Menschen
das Bedürfnis der Menschen, ihre Kräfte im Wettkampf mit
   denen der Natur und ihrer Mitmenschen zu messen
die bessere Verständigung zwischen den Nationen?

Kein Sport am Sonntag?
Sollten sportliche Wettkämpfe und Veranstaltungen auf den
   Sonnabend verlegt werden?
der Mangel an Sportplätzen
die Ruhe / die Erholung / die Entspannung (*relaxation*)
der Sonntag als Ruhetag
die kommende Fünf-Tage-Woche
Man treibt Sport als Gegengewicht zum Alltagsleben.
ein puritanisches Attentat auf die Lebensfreude

VI. POLITICS — NATIONAL AND INTERNATIONAL

„ Wiedervereinigung nicht mehr möglich "

„Wir müssen zur Kenntnis nehmen, daß eine Wiedervereinigung im ursprünglichen Sinn nicht mehr möglich ist." Das erklärte Bundeskanzler Willy Brandt *Welt am Sonntag* auf die Frage: „Warum sprechen Sie nicht mehr von der Wiedervereinigung?" Brandt: „Ich spreche von dem, worauf wir uns in einer veränderten Welt konzentrieren müssen: eine europäische Friedensordnung, in deren Rahmen Selbstbestimmung und nationale Einheit verwirklicht werden können. Und auf dem Wege dorthin: Eine gesicherte Zukunft für Berlin sowie Veränderungen zugunsten der Menschen und des Friedens trotz der Spaltung Deutschlands."

In seiner Erklärung stellt Brandt fest, als Bundeskanzler habe er die Pflicht, „seinem Volk die Wahrheit zu sagen, auch wenn sie bitter ist" : Auch die Politik seiner Vorgänger, der CDU-Bundeskanzler Adenauer, Erhard und Kiesinger, sei „keineswegs in erster Linie auf die Erreichung dieses Ziels" der Wiedervereinigung gerichtet gewesen.

Exkanzler und CDU-Vorsitzender Kurt Georg Kiesinger, von *Welt am Sonntag* um Stellungnahme gebeten, bezeichnete diese Behauptung als „falsch". Zu der Aussage des deutschen Regierungschefs, daß eine Wiedervereinigung im ursprünglichen Sinn nicht mehr möglich sei, sagte Kiesinger:

„Woher will Herr Brandt das wissen? Herr Brandt ist ebensowenig ein Prophet wie irgendeiner, aber er ist nicht *irgendeiner.* Vom deutschen Regierungschef muß man erwarten, daß er seine Worte sorgfältig wählt. Die Art, wie Herr Brandt immer neue Formeln erfindet, bedeutet nicht, daß er unserem Volk die Wahrheit sagt, sondern daß er Verwirrung, Unsicherheit und Gefahr stiftet."

February 1, 1970

Zwei deutsche Gipfeltreffen fanden im Frühjahr 1970 in Erfurt und in Kassel statt: Bundeskanzler Willy Brandt und Ministerratsvorsitzender der DDR, Willi Stoph, haben die ost-westdeutschen Verhältnisse besprochen.

Die Anerkennung der DDR (*recognition of the German Democratic Republic*) bleibt die Frage aller Fragen (*the 64-dollar question*).

das Problem des getrennten Berlins

Der deutsche Bundestag, 1973

Bundespräsident: Gustav Heinemann
Bundeskanzler: Willy Brandt
Regierungsparteien:
    die SPD (Sozialdemokratische Partei Deutschlands).
        Vorsitzender: Willy Brandt
    die FDP (Freie Demokratische Partei). Vorsitzender: Walter Scheel
Oppositionsparteien:
    die CDU (Christlich-Demokratische Union). Vorsitzender: Rainer Barzel
    die CSU (Christlich-Soziale Union). Vorsitzender: Franz Josef Strauß

Die englische Politik, 1970

Mai 1970 löste Premierminister Wilson das Unterhaus auf (*dissolved the House of Commons*) und kündigte Neuwahlen (*announced new elections*) für den 18. Juni an.

der Wahlkampf (*electoral battle*)
der Wahlkreis (*constituency*)
der Abgeordnete (*adj. decl.*) (*delegate, M.P.*)
die Beziehungen zu den Gewerkschaften (*relations with the trade unions*)
maßlosen Lohnerhöhungen einen Riegel vorschieben (*to check/ halt excessive wage increases*)

die Behebung (*rectification*) des Zahlungsdefizits
die soziale Gerechtigkeit (*social justice*) für alle

Wahlrecht ist Wahlpflicht! (right to vote is duty to vote)
Viele Neuwähler/Jungwähler stehen skeptisch den Parteien
gegenüber. Aber das Wahlrecht ist ein Recht, das Millionen
Menschen immer noch versagt ist. Es wäre Verrat an der
Geschichte, Verrat an der Freiheit, dieses Recht nicht
wahrzunehmen (*make use of*).

Die internationale Politik

die UNO/die Vereinten Nationen
der Sicherheitsrat (*Security Council*)
die NATO/die NATO-Mitgliedstaaten
die Krise im Nahen Osten, im Fernen Osten
die Schlagzeilen beherrschen (*to be headline news*)
das Gipfeltreffen/die Gipfelkonferenz
die Handelsbeziehungen befestigen (*to strengthen trade relations*)
einen Nichtangriffspakt abschließen
der Atomsperrvertrag (*nuclear non-proliferation treaty*)
die Einrichtung von Raketenbasen
die Abrüstung (*disarmament*)
enge Zusammenarbeit auf wirtschaftlichem Gebiet
den Entwicklungsländern unter die Arme greifen (*to lend a
helping hand to the developing nations*)

Die Europa-Union

EFTA/die Europäische Freihandelszone
die Europäische Wirtschaftsgemeinschaft/EWG (*European
Economic Community*)
die Europäische Atomgemeinschaft/Euratom
die Europäische Gemeinschaft für Kohle und Stahl
Februar 1970 ist der gemeinsame europäische Agrarmarkt
(*Agricultural Market*) Wirklichkeit geworden. Der Weg zu
Beitrittsverhandlungen (*negotiations for entry*) mit Großbritannien, Irland, Dänemark und Norwegen ist damit frei.

Die Gegner (*opponents*) eines Beitritts Großbritanniens zur EWG schätzen, daß die Lebensmittelpreise um 18 bis 29 Prozent steigen werden.

Die Anhänger (*supporters*) betonen die langfristigen wirtschaftlichen Vorteile (*long-term economic advantages*) unseres Beitritts.

die Einheit Europas anstreben

europäisch denken

VII. ECONOMICS

1. THE VICIOUS SPIRAL

Steuererhöhungen auf Zeit?

Die steigenden Preise in der Bundesrepublik bedrohen die Einheit der Bundesregierung. Es ist im Kabinett zu einem Konflikt darüber gekommen, ob Steuererhöhungen auf Zeit verhängt werden sollen, um die Preise zu stoppen oder nicht. Denn die Lebenshaltungskosten kletterten im letzten Monat so schnell wie seit fast einem halben Jahrzehnt nicht mehr: Mitte Januar lagen sie um 1,2 Prozent höher als Mitte Dezember.

Wirtschaftsminister Schiller hat darum noch einmal auf Sofortmaßnahmen zur Preisstabilisierung gedrängt. Er wurde aber bisher im Kabinett vom Kanzler und von Kollegen überstimmt.

Nun schwelt der Konflikt weiter. Die Regierung sieht sich in einer Zwickmühle: Entweder sie läßt die Preise weiter klettern oder aber sie muß zu einer besonders unpopulären Gegenmaßnahme greifen: Steuererhöhung auf Zeit.

Diese Maßnahme ist das Rezept von Professor Schiller: Einem zu geringen Warenangebot steht eine zu große Kaufkraft in der Bevölkerung gegenüber. Um diese Kaufkraft zu verringern, hat er vorgeschlagen, die Bevölkerung Steuervorauszahlungen leisten zu lassen, die Ende dieses oder Anfang nächsten Jahres zurückgezahlt oder verrechnet werden könnten.

February 22, 1970

(*Copyright:* Die Welt, Hamburg)

SUPPLEMENTARY MATERIAL

Preissteigerungen verlangen kräftige Lohnerhöhungen, wenn die Arbeiter nicht nur ihren Lebensstandard wahren (*maintain*), sondern ihr reales Einkommen verbessern wollen.

der durchschnittliche Wochenverdienst (*average weekly wage*)
Der Preisindex für die Lebenshaltung (*cost-of-living index*) steigt
  monatlich.
die Lohntüte (wage packet)
Trotz kräftiger Erhöhung des Volkseinkommens (*national
  income*) wird die Sparneigung (*savings habit*) schwächer.

Leben wir über unsere Verhältnisse (beyond our means)?

Die freie Wirtschaft kann nur florieren, solange die Kon-
  sumerbedürfnisse (*consumer demands*) steigen — d.h., neue
  Bedürfnisse müssen geweckt werden.
England hat eine besondere Lage im Wirtschaftsverkehr. Als
  starkbevölkerte Insel, die reich an Rohstoffen (*raw materials*)
  ist, muß es diese verarbeiten (*manufacture*) und dann expor-
  tieren / ausführen, um seinen Einwohnern einen guten /
  hohen Lebensstandard zu gewähren.
die Einfuhr
die Ausfuhr

Das Problem des Steuerhinterziehers (tax-dodger)

Es könnten mehr Steuererleichterungen (*tax reliefs*) geschaffen
  werden, wenn alle gegenüber dem Staat ehrlich wären. Der
  Staat — das sind wir alle!
Der Durchschnittsbürger ist mit Steuern bis zum Halskragen
  überlastet.

Die Sozialversicherung (National Insurance)

die Krankenversicherung (*Health Insurance*)
Sollte der krankenversicherte Patient sich an den Kosten für
  ärztliche Behandlungen (*medical treatment*) und Arzneien
  beteiligen?
leichtfertig den Arzt in Anspruch nehmen (*to call in the doctor
  unnecessarily*)

2. Price Undercutting

Was halten Sie von der Preisunterbietung?

Der Direktverkauf des Großhandels (*wholesale trade*) an den Endverbraucher ist, einem Urteil des Bundesgerichthofes nach (*according to a Federal Court judgement*), grundsätzlich nicht wettbewerbswidrig (*not in principle contrary to fair competitive practice*).

Bei vielen Großhändlern (*wholesalers*) kann man 10 bis 30 Prozent gegenüber dem Einzelhandel (*retail trade*) sparen.

die üblichen Preise erheblich unterbieten (*to undercut the usual prices by a considerable amount*)

Was kann der Einzelhändler / der kleine Ladenbesitzer dagegen unternehmen?

Was halten Sie von den Selbstbedienungsläden (*self-service stores*), die man heutzutage in vielen Städten und Vororten findet? Gehen Sie lieber in das Geschäft eines selbständigen (*independent*) Händlers einkaufen oder ziehen Sie vor, Einkäufe in einem Riesenwarenhaus (*mammoth stores*) zu machen?

3. Consumer Research

In Deutschland, wie in England, gibt es eine unabhängige Organisation, die ,, Warentests '' ausführt und dem Verbraucher (*consumer*) Ratschläge über eine ganze Reihe von Artikeln gibt. Was halten Sie von diesem System?

VIII. TRAVEL AND TOURISM

1. BAEDEKER AND THE MASSES

Der Tourist ist besser als sein Ruf (I)

Eine Invasion von Touristen, von friedlichen Eroberern, ist im Gange. Ganze Industrien und Volkswirtschaften leben heute von dieser Bewegung, für die findige Manager inzwischen auch schon einen Namen gefunden haben: ‚ Sozial-Tourismus ‘.

Die Sehnsucht nach draußen ist groß. Der leicht bewegliche, meist motorisierte Fernwanderer, der möglichst rasch unterwegs sein will, beherrscht das Bild der Urlaubsorte. Mit seinem Motorroller und seiner Campingausrüstung, mit Kamera und Reiseführer ist er in Rom und Neapel, in Florenz oder in Athen zu sehen. Er schreibt keine Reisetagebücher, dafür Ansichtskarten, er photographiert viel. Er macht ganze Städte, Provinzen und Länder in kürzester Frist ‚ fertig ‘, wie es im Jargon heißt, und er kehrt befriedigt und erfrischt — vielleicht ein wenig benommen — von diesem kurzen, bunten Rausch der Bilder und Impressionen heim.

Ich glaube, es ist nicht alles schlecht an diesem so oft gelästerten, modernen Touristen. Er ist besser als sein Ruf. Was ihn treibt, muß wohl die Unruhe sein. Aber wer wollte behaupten, daß sie an sich schlecht und unproduktiv sein muß? Ganz offenbar kehrt in der modernen Touristik doch der alte menschliche Wandertrieb wieder, die Sehnsucht nach der Ferne, die eben als Ferne immer noch ihre geheime Glücksverheißung hat. Es ist der Wunsch da, sich von Unbekanntem, Fremdem, bezaubern zu lassen; Orte, Namen, Kunstwerke, die man oft noch aus der Schulzeit nur als leere Begriffe kannte, zu sehen, mehr noch: zu erfahren!

(Fortsetzung folgt)

Der Tourist ist besser als sein Ruf (II)

Die Welt ist eben anders, wenn man sie in Wirklichkeit sieht — und der Tourist lernt das schrittweise begreifen. Gewiß gibt es heute große Organisationen zur internationalen Begegnung, aber ich frage mich manchmal, ob in solch repräsentativen Gebilden die eigentliche Brücke des Vertrauens geschlagen werden kann. Sie bildet sich, wie alles wirklich Echte, vielleicht ganz unbeabsichtigt, im kleinsten Kreise. An einem Abend, in einer spanischen Jugendherberge, in einem Eisenbahnabteil oder in einer zünftigen Trattoria.

Sicher gelingt einem dies nicht oft auf der Reise. Der Tourist ist nun einmal ein geplagtes, unvollkommenes Wesen, aber er ist nicht von Grund auf schlecht, wie seine Kritiker oft sagen. Er ist aufgeschlossen, unternehmungslustig, weltoffen, und wenn er auch manches nur streift, vieles wieder vergißt, einiges mißversteht und sehr vieles gar nicht wahrnimmt, so bleibt doch in ihm bei der Rückkehr das Wissen um die Weite, den Reichtum und die Andersartigkeit menschlichen Seins, und es bleibt damit auch das Wissen um seine eigene Grenze.

Eine Welt, die auf Reisen ist, kann nicht die schlechteste sein. Die friedliche Olympiade der Touristen, so fragwürdig sie im einzelnen oft aussehen mag, hat ihre guten Seiten. Sie realisiert im kleinen, was unsere Politiker im großen kaum realisieren können: den Geist des Vertrauens und der Sympathien über alle Sprachen hinweg.

June 8, 1958

(*Copyright:* Die Welt, Hamburg)

SUPPLEMENTARY MATERIAL

der Urlauber (*holiday-maker*)
der Ausflügler (*tripper*)
auf eigene Faust reisen
auf Schusters Rappen (*by Shanks's mare*)
getrennte Kasse (*each partner paying his own share of the expenses*)
Das Reisen ist nicht mehr an soziale Privilegien gebunden.

Heute kann sich jeder Stand (*every class of society*) eine jähr-
liche Reise leisten.

Der Urlauber alten Stils, der jedes Jahr in sein Bad (*watering-
place, spa*) fuhr, scheint ausgestorben zu sein.

2. THE TEENAGE TRAVELLER

Wohin reisen unsere Schüler?

Die Zeigefinger der Besserwisser piekten in die Luft: seht
ihr, frohlockten sie, da haben wir's! Die deutsche Jugend
schweift in die Ferne. Sie strömt über die Grenzen, aber sie
kennt die Heimat nicht! Seinerzeit, zu meiner Zeit, ja, da
erwanderte man sich die Schönheiten Deutschlands. Und
heute? Heute findet es die Jugend ,schick', nach Italien,
Frankreich, Spanien zu reisen. Wer fragt schon danach, wie
es im Schwarzwald aussieht, im Teutoburger Wald oder im
Harz?...

Die Auslandsreisenden argumentieren so: später, im Beruf,
hat man wahrscheinlich nur zwei bis drei Wochen Ferien.
Dann kann soviel dazwischen kommen — man sollte also jetzt
die Gelegenheit ergreifen, um andere Völker, andere Sitten
kennenzulernen. Man kann sich in der Sprache vervollkommnen, kann seine Schulweisheit durch eigene Erfahrungen an-
reichern und Freunde finden. Man erweitert den Gesichtskreis
und wird selbständiger.

Die anderen meinen: auch innerhalb der Grenzen lernt man
Menschen kennen. Auch bei uns kann man historische Studien
treiben, kann man Landschaften und Volksstämme erforschen.
Wer weiß, ob wir im Ausland soviel aufnehmen, ob wir es
verwerten können wie unsere Eltern. Doch wenn wir schon
die Gelegenheit haben, warum sollen wir nicht in andere
Länder fahren?...

Das soll jedoch nicht heißen, daß ein Kind an der Heimat
vorbeilaufen muß. Denn jeder Schüler hat heute die Möglichkeit, mindestens Teile seines Vaterlandes kennenzulernen. Sei es
durch Klassenreisen während der Schulzeit, sei es auf eigene
Faust während der kürzeren Ferien. Der überwiegende Teil
unserer Jugend ergreift jedenfalls die Gelegenheit, die Heimat

kennenzulernen. Und keiner, der je ins Ausland gefahren ist, hat es zu seinem Schaden getan.

July 6, 1958
(*Copyright:* Die Welt, Hamburg)

SUPPLEMENTARY MATERIAL

Welchen Wert hat eigentlich das Reisen ins Ausland?

In welchem Alter ist der Beginn eines solchen Unternehmens wünschenswert? Es kommt darauf an, wieviel ein Mensch in einem gewissen Alter im Ausland aufnehmen und verstehen kann.

Der ideale Tourist im Ausland ist bescheiden, wissensdurstig und weltaufgeschlossen (*receptive to things around him*).

falsche Vorurteile von zu Hause nicht mitbringen!

die Völkerverständigung

die Brücke des Vertrauens zwischen den Völkern schlagen

die Einheit Europas anstreben (*to strive towards a United Europe*)

Lernt man vielleicht durch eine Reise ins Ausland seine eigene Heimat viel besser verstehen?

Welche Länder möchten Sie vor allem besuchen?

Wer bevölkert unsere Jugendherbergen (Youth Hostels)?

Sollte ein ‚Wanderer‘, der mit dem Motorrad, mit dem Auto, oder sogar per Anhalter (*hitch-hiking*) fährt, in einer Jugendherberge übernachten dürfen?

Was halten Sie von der Luftfahrt (air travel)?

schneller als mit irgendeinem Verkehrsmittel zu neuen Zielen (*destinations*) kommen

die internationale Atmosphäre

der Augenblick des Starts

Die Kinder von heute sind die Kunden (*clients*) der Fluggesellschaften von morgen.

IX. POOLS AND LOTTERIES

Glück zu kleinen Preisen

Eine neue Leidenschaft hat unsere Zeit erfaßt: die Lust am Glücksspiel. Diese Lust erfüllt die Freizeit der Jugend mit neuen Gedanken, Erwartungen und Enttäuschungen, sie hat unzählige Organisationen, Unternehmen, ein eigenes Nachrichtenwesen geschaffen . . .

Es ist leicht, über diese Spiel- und Wettleidenschaft von heute zu klagen, sie als seelisches Krankheitssymptom zu werten. Das ist in der Öffentlichkeit so gründlich geschehen, daß wir das Lied moralischer Entrüstung hier nicht fortsetzen möchten. Was in kaum einem Jahrzehnt einen so breiten Sieg erlebte, ist vor allem einmal eine Tatsache, die ihre eigenen Gründe und Ursachen haben muß. Sie sollte man zunächst verstehen. Das Spielen ist an sich ja ein Urtrieb des Menschen, die Hoffnung auf das Glück ein normales und legitimes Verlangen; wenn beides sich verbindet, müßte es in seinen berechtigten Grenzen noch nicht verwerflich sein . . .

Wer hier allwöchentlich seine zwei oder drei Mark einsetzt, gefährdet nicht seine Existenz, frönt nicht einem Laster, sondern will einfach dem Schicksal seine Chance geben. Die Hoffnung, daß mit diesem Einsatz das Wunder geschehen könnte, ist allein schon den Einsatz wert . . .

Man will das Glück, aber eben nur — zu kleinen Preisen. Ist die Spielmode also verwerflich? Man kann das nicht theoretisch entscheiden, denn wieviel Geld jeder mühelos für dieses bescheidene Kokettieren mit dem Schicksal abzweigen kann, das kann jeder für sich beantworten. Wer wirklich nur , spielt ', ist nicht gefährdet; er handelt nur menschlich. Erst wo das Spiel ernst wird, wo es eben seinen spielerischen

Charakter verliert, wird auch diese Zeiterscheinung ernst und eine Sorge.

March 2, 1958
(*Copyright:* Die Welt, Hamburg)

SUPPLEMENTARY MATERIAL

Ist das Spielen im Lotto und Toto aus moralischen Gründen zu verwerfen?

Ist unsere Gesellschaft in zu großem Maße rationalisiert, einer riesigen Maschine vergleichbar (*comparable to*), in der sich alles sicher und regelmäßig vollzieht?

Die moderne Industriegesellschaft bietet Sicherheit (*security*), aber auch die Kehrseite (*drawback*) aller Sicherheit: die Spannungslosigkeit (*lack of excitement*), die Monotonie / die Eintönigkeit.

Ist die heutige Spielmode so gefährlich? Kann sie mit der Spielsucht (*gambling fever*) der früheren Berufsspieler (*professional gamblers*) verglichen werden?

niedrig spielen / nicht zu viel einsetzen (*to play for low stakes*)

Was würden Sie tun, wenn Sie das große Los gewinnen sollten?

zu Geld kommen (*to come into money*)
der Glückspilz (*lucky blighter*)
der Mammutgewinner

Eine Meinungsumfrage (*opinion poll*), die 1965 in der Bundesrepublik durchgeführt wurde, zeigte, daß 67 Prozent der jungen Westdeutschen ein Haus bauen würden. 52 Prozent würden das Geld zinsbringend anlegen (*invest*). Nur 5 Prozent würden nicht mehr arbeiten.

Wovon hängt, Ihrer Meinung nach, der Erfolg im Leben ab?

vom Glück, von der Tüchtigkeit (*hard work*), von der Gesundheit, von guten Freunden?

X. EXPLORATION AND DISCOVERY

Heute am Südpol: Hillary und Fuchs versöhnen sich

McMurdo Sound, 18. *Januar* 1958

Dieser Sonntag, der 19. Januar 1958, wird ein großer Tag in der Geschichte der wissenschaftlichen Eroberung der Erde durch den Menschen sein: der Südpol ist jetzt von zwei Richtungen her auf dem Landwege erobert. Dr Vivian Fuchs und Sir Edmund Hillary wollen sich an diesem hart umkämpften Punkt die Hände drücken. Damit wird dieser Tag auch der Tag der Versöhnung zwischen dem stillen, energischen Gelehrten aus Cambridge und dem überschäumenden und oft unberechenbaren Sportsmann aus Neuseeland. Der Engländer Dr Fuchs hat der amerikanischen Südpolstation gefunkt, er werde um 19.30 Uhr MEZ bei ihr eintreffen. Am Sonnabendmorgen war er noch 90 Kilometer entfernt. Der neuseeländische Mount-Everest-Bezwinger und Polstürmer Hillary will im Flugzeug am Südpol landen, um dort Dr Fuchs zu begrüßen. Er will sich dann der Expedition von Dr Fuchs anschließen und gemeinsam mit ihr den Marsch zur , anderen Seite ' der Antarktis, nach der Scott-Basis, antreten. Zwei Polsieger wollen Hand in Hand das große Abenteuer bestehen.

Doch die Gefahren sind groß: auf dem Wege, den die erste Expedition zur Durchquerung des antarktischen Kontinentes nehmen wird, lauert neben Gletscherspalten, Eisbarrieren und Schneestürmen die antarktische Nacht. Das Jahr hat am Südpol seinen Höhepunkt bereits überschritten. Seit dem 21. Dezember werden die Tage immer kürzer.

Deshalb hatte Hillary seinen britischen Kollegen Fuchs gewarnt. Er hatte ihm vorgeschlagen, die Expedition am Südpol abzubrechen und erst im kommenden Herbst, im antarktischen Frühling, den zweiten Teil seiner Poldurchquerung zu beginnen. Dr Fuchs lehnte das entschieden ab. Er will nicht nach Amundsen, Scott und Hillary der , vierte

Mann am Pol ' sein. Er will der erste sein, der den Kontinent
Antarktika in ununterbrochener Reise vom Weddell-Meer bis
zur Ross-See durchquert hat.

January 19, 1958
(*Copyright:* Die Welt, Hamburg)

Supplementary Material

zum Pol vorstoßen

die Antarktis — der , sechste Kontinent '

Temperaturen bis zu 80 Grad Kälte

der Raupenschlepper (' *snocat* ')

ein [Treibstofflager] [Lebensmittellager] anlegen (*to set up a
[fuel] [provisions] camp*)

den Fahrplan einhalten (*to keep to schedule*)

auf ungeahnte Schwierigkeiten stoßen (*to come across unsuspected difficulties*)

*Welchen Wert haben eigentlich das Bezwingen des Mount
Everest und ähnliche Leistungen* (similar feats)?

das Bedürfnis des Menschen, seine Kräfte im Wettkampf mit
den Kräften der Natur zu messen

Oft sind solche Versuche [mit Abenteuerlust] [mit Ehrgeiz
(*ambition*)] verbunden. Man kann später einen Punkt auf
der Erdkarte ankreuzen (*mark with a cross*) und sagen:
,, Entdeckt! "

Aber tragen diese Leistungen zur Bereicherung des menschlichen Lebens bei?

XI. COLOUR BAR

Little Rock

WASHINGTON, *Ende September*

Little Rock in Arkansas, Mittelpunkt des Konflikts um die verfassungsmäßig angeordnete Rassenintegration an amerikanischen Schulen, glich in der vergangenen Woche einer Stadt unter Besatzungsregime. Auf Befehl Präsident Eisenhowers setzten 1000 Fallschirmjäger am Tage des Unterrichtbeginns Washingtons Anordnung durch, daß alle Kinder, ob schwarze oder weiße, gemeinsam die Schule besuchen dürfen. Unter dem Schutze der Eliteeinheiten konnten auch die neun Negerkinder zum erstenmal auf den Bänken einer Oberschule für Weiße Platz nehmen. Dieser neun Kinder wegen hatte sich der Rassenkonflikt plötzlich so zugespitzt. Der Süden pocht auf die Rechte der Einzelstaaten. Er wirft Eisenhower vor, daß er die Verfassung verletzte, als er Bundestruppen einsetzte und die Nationalgarde von Little Rock der Befehlsgewalt von Gouverneur Faubus entzog und sich selbst unterstellte. Der Präsident wollte den Rebellen zeigen, daß Bundesrecht Landesrecht bricht. Er ließ es damit auf eine innenpolitische Machtprobe ankommen, wie sie die USA seit dem Bürgerkrieg nicht mehr erlebten.

Die Berichte aus dem Süden Amerikas sprechen von Rassenhaß, von Tragik und Gewalt, Bomben und Empörung. Aber die Schlagzeilen könnten niemals die wahre Geschichte vom Leben im Süden noch die der Schulintegration widerspiegeln. Von den 3000 Schulgebieten in den 17 Süd- und Grenzstaaten haben mehr als 700, und die meisten unter ihnen ohne jegliche Fanfarenklänge, die Integration vorgenommen. Weniger als ein Dutzend Schulen lieferten die großen Schlagzeilen. In jenen 17 Staaten leben 50 Millionen Männer und Frauen — 40 Millionen Weiße und 10 Millionen Neger, die ohne Streit oder große Schwierigkeiten ihrem täglichen Leben nachgehen . . .

An dem ganzen Aufruhr, von dem die Schlagzeilen berichten,
•aren weniger als 2500 Menschen beteiligt. Sie waren das
Werkzeug verantwortungsloser Scharfmacher und Rassenhetzer. Die Aufrührer des Südens bilden eine schäbige Parade
— weißer Mob, irregeführte und ehrgeizige Politiker, Parti-
kularisten und Agitatoren aus dem Norden.

September 29, 1957

(*Copyright:* Die Welt, Hamburg)

SUPPLEMENTARY MATERIAL

die Rassentrennung (*racial segregation*)
die Rassenintegration / die Rassengleichheit
Rassenhaß schüren (*to stir up racial hatred*)
der schlummernde Urhaß
der Farbige (*adj. decl.*)

Die Spannung zwischen den Rassen

Im Frühjahr 1970 versuchte man erneut, die Rassenintegration
der Schulen im Süden der USA zu hintertreiben (*thwart,
frustrate*).

Die Rassenfrage auf dem Gebiete des Sports: die erfolgreiche
Kampagne in England gegen die 1970 geplante südafrikanische
Kricket-Tournee.

Im Laufe der letzten 500 Jahre haben die Weißen in fünf
Erdteilen eine Rasse nach der anderen überwältigt: mit
Gewehren (*rifles*), Whisky, Peitsche, Handelsvertrag,
Grammatik und Gesangbuch.

der Zusammenstoß zwischen Weißen und Farbigen

sich mit den Augen des anderen sehen

Sollten Farbige Weiße heiraten? Kinder werden oft aus-
gestoßen und verspottet.

Haben Farbige dieselben Berufsmöglichkeiten wie Weiße?

Würden Sie zu einem farbigen Arzt oder Rechtsanwalt (*lawyer*)
gehen?

XII. MOTORING AND AVIATION

1. Road Accidents

22 Verletzte — eine Warnung für die Urlaubszeit

Auf der ‚Todesstrecke‘, wie der stark befahrene Abschnitt der Autobahn zwischen Frankfurt und Mannheim genannt wird, reißt die Unglücksserie nicht ab. Am Sonnabend geriet hier ein Ferienbus aus Lübeck von der Fahrbahn und stürzte um. 22 Insassen wurden verletzt. An den beiden Vortagen waren auf der gleichen Strecke sechs Personen ums Leben gekommen, neun erlitten schwere Verletzungen. Es hätte auch wieder eine Katastrophe geben können. Zum Glück lief alles noch glimpflich ab. Dennoch: dieses Busunglück ist eine Warnung zu Beginn der Urlaubszeit.

Jäh wurden die 27 Reisenden im Lübecker Bus aus ihren Ferienträumen geschreckt. Sie befanden sich auf der Fahrt zum Bodensee. Der Fahrer berichtete ihnen gerade von den beiden schweren Unfällen, die es am Donnerstag und Freitag auf dieser Autobahnstrecke gegeben hatte. Zwei Minuten später konnte er es nicht verhindern, daß der Bus ins Schleudern geriet und auf dem Grünstreifen, halb schon auf der Gegenfahrbahn, umstürzte. Der Fahrer hatte einer Verkehrsstauung wegen auf der regennassen Bahn plötzlich bremsen müssen . . .

Der starke Wochenendverkehr auf der Autobahn in Richtung Frankfurt wurde mehr als eine Stunde lang blockiert. Es bildeten sich kilometerlange Autoschlangen. Ihr Anblick zeigte in aller Deutlichkeit, wie sehr manche Strecken des Straßennetzes in der Bundesrepublik überlastet sind.

Nur von ‚glücklichen Umständen hing es ab, daß eine Katastrophe vermieden wurde. Der Unfall entsprang wahrscheinlich keinem technischen Fehler, sondern den besonders schwierigen Verkehrsbedingungen. Die Polizei meldete, der Fahrer habe „infolge einer Verkehrsstauung die Herrschaft über den Wagen verloren.“

57

Im Zusammenhang mit der weiterhin hohen Anzahl von Verkehrsunfällen in Deutschland erregt aber auch die Meldung über den angeblich schlechten technischen Zustand vieler Kraftfahrzeuge Aufsehen: aus einer Jahresübersicht über die Arbeit der technischen Prüfstellen, veröffentlicht vom Bundeskraftfahramt in Flensburg, geht hervor, daß über die Hälfte aller Wagen im Bundesgebiet sich nicht in ordnungsgemäßem Zustande befinde.

July 6, 1958
(*Copyright:* Die Welt, Hamburg)

Der Kavalier am Steuer

Er blendet ab, wenn ihm nachts ein Wagen entgegenkommt. Aber schon bevor er sich auf den Weg macht, prüft er seine Lampen. Mancher sollte es übrigens noch heute abend tun. Es ist kaum zu zählen, wie viele Zeitgenossen mit anderthalb Birnen unterwegs sind. Unserem Kavalier am Steuer sind Prestigefragen längst kein Lebenszweck mehr. Er weiß, daß Überholverbote nicht von ungefähr angebracht sind, wenn es auch Ausnahmen gibt, in denen sie übertrieben erscheinen. Unser Freund wird auch nicht unbedingt, selbst wenn ein reizender Anblick ihn abzulenken droht, kühn und verwegen den Motor aufheulen lassen, um zu zeigen, wie wenig in seinem Kopf und wie viel in seinem Wagen steckt.

Aber selbstverständlich wird er am Fußgängerstreifen halten, und es ist sicher, daß er nicht vor sich selber und andern glänzen will, sondern daß wirkliche Rücksichtnahme ihn leitet. Er wird nicht einmal seinen Sinn ändern, wenn einige Knaben ihn mit dem langsamsten Gary-Cooper-Sheriff-Schritt aus dem jüngsten Kinoerlebnis ärgern wollen. Allerdings gibt es auch Fahrer, die den Zebrastreifen grundsätzlich ignorieren, die nichts Aufregendes dabei finden, wenn zornige Fäuste vor ihrer Scheibe fuchteln. Sie brausen durch. Sie wissen nicht, was sie tun . . .

Die Kunst ist gar nicht so groß, am Steuer Kavalier zu sein und ritterlich zu bleiben. Eine wesentliche Devise ist, nett zu sein. Nimm den Finger von der Schläfe, junger Mann. Rechts 'ran, Herr Wirt, wir wissen schon, daß du ein wichtiger Mensch bist. Und bitte, Gärtnerlehrling, in deinem VW-Bus sind doch wohl Blumen.

June 29, 1958
(*Copyright:* Die Welt, Hamburg)

SUPPLEMENTARY MATERIAL

Wer — oder was — ist schuld an dem Blutbad auf den Straßen?
Vorfahrt haben (*to have the right of way*)
ein unvorsichtiger Fahrer
der Geschwindigkeitsrausch (*mania for speed*)
seinem Glück vertrauen
schlecht sehen / hören
gut / blitzschnell / sekundenschnell reagieren.
dem Tachometer (*m.*) ein halbes Auge zuwenden (*to keep one eye on the speedometer*)
das Problem des Unfällers (*accident-prone person*)
Sollte die Ausgabe (*issue*) neuer Führerscheine von der Vorlage eines ärztlichen Attestes (*production of a medical certificate*) abhängig gemacht werden?
Wieviele Unfälle sind auf die Straßenverhältnisse (*road conditions*) zurückzuführen?
Wieviele Unfälle entspringen technischen Fehlern? In England ist die regelmäßige Überprüfung von älteren Wagen jetzt obligatorisch.
die Rolle des Sicherheitsgurtes (*safety belt*)
In der Bundesrepublik erwies sich im Januar 1970 bei 12 Prozent der PKW der Reifenzustand (*state of the tyres*) als mangelhaft (*defective*). Abgefahrene Reifen kosten ein Bußgeld (*fine*) von 150 Mark. Die gesetzliche Mindestprofiltiefe (*minimum tread*): ein Millimeter.
Sollte das Mindestalter für den Führerschein auf 16 Jahre herabgesetzt werden?

Was für praktische Maßnahmen (measures) *können die Behörden* (authorities) *einleiten?*
die Rolle der Polizei

die Bedeutung der Verkehrsdisziplin

Fahrstunden in der Schule?

die zulässige Höchstgeschwindigkeit / die Geschwindigkeits-
begrenzung in geschlossenen Ortschaften (*speed-limit in built-
up areas*)

am Zebrastreifen / Fußgängerstreifen halten

das Überholverbot ('*no overtaking*')

wegen fahrlässiger Verkehrsübertretung (*careless-driving
offence*) zu einer Geldstrafe verurteilt werden

In Deutschland zieht der Polizist die Geldstrafe an Ort und
Stelle ein (*collects the fine on the spot*). Was halten Sie von
diesem System?

die Verkehrsstauung (*traffic jam*)

Der Autoverkehr verfilzt sich.

eine zweispurige Fahrbahn (*dual carriage-way*)

die Rolle des Fußgängers

die Fahrbahn betreten, ohne sich umzusehen

Sollte auch der Fußgänger bei Verstößen gegen die Verkehrsdisziplin bestraft werden?

Sind Frauen schlechte Fahrerinnen?

Besteht ein Unterschied zwischen den Geschlechtern? Wenn
ja, liegt dieser Unterschied im Charakter?

2. Choosing a Vehicle

Das Auto von morgen

Vor drei Jahren noch hielt man ein automatisches Getriebe
bei einem kleinen Motor für unmöglich. ,,Automatik", so
lächelte damals ein Opel-Mann, als ich mit einem automatischen
750-ccm-DAF auf seinen Hof tuckerte, ,, die hat doch erst ab
zwei Litern Sinn!"

Heute verkauft derselbe Mann mit Überzeugung den Kadett-
Automatik (mit 1100 ccm). Seine Kollegen verkaufen den
automatischen Escort (1300 ccm), den automatischen englischen
Mini (1000 ccm); Honda bietet sogar eine Automatik für den
600 ccm-Motor an. Dazu gibt es jede Menge halbautomatischer

Fahrzeuge von Fiat, NSU, Porsche, Simca, VW. Hat sich die Getriebeautomatik in diesen Jahren so gewandelt?

Sie allein hat es nicht. Es änderte sich der Verkehr. Es wandelte sich die Mentalität der Autofahrer. Heute kaufen schon rund 15 Prozent ihren Käfer als Automatik — und sie wissen, warum. Ein routinierter Fahrer merkt die Belastung durch Kuppeln und Schalten nicht unmittelbar, er mag sogar Spaß daran finden, aber wir sollten Kupplung und Schalthebel doch als das sehen, was sie wirklich sind: Dinge, ohne die man heute auskommen kann.

January 4, 1970
(*Copyright:* Die Welt, Hamburg)

SUPPLEMENTARY MATERIAL

das Moped (Fahrrad mit Motor)
der Roller / der Motorroller (*motorized scooter*)
der Soziussitz (*pillion seat*)

Das ideale Auto, wie ich es mir vorstelle

einen fahrbaren Untersatz haben (*to possess a vehicle, be
' mobile '*)
nach hinten ausragende Heckschwänze (*projecting tail-fins*)
die Chromverzierungen
wülstige Stoßstangen (*protruding bumpers*)
mehrfarbige Lackierung (*multi-tone finish*)
Stromlinienformen
serienmäßig hergestellt (*mass-produced*)
die Klimaanlage(n) (*air-conditioning system*)
die gebogene Panoramawindschutzscheibe (*wrap-round pano-
ramic windscreen*)
die Vollsicht-Panoramascheiben (*all-round-view windows*)
die Beinfreiheit (*leg-room*)
die Karosserie (*body-work*)
die Fahrsicherheit
kursstabil (*holding the road well*)
drei Gänge (*three gears*)

Dieser Kleinwagen hat einen 660 ccm Motor, der dreißig PS
(Pferdesstärke — *Horse Power*) leistet.

Er erreicht eine Dauerspitze (*top cruising speed*) von 110
km/st.

Die Höchstgeschwindigkeit (*maximum speed*) liegt bei 140
km/st.

der Wankelmotor/der Kreiskolbenmotor: eine technische
Revolution

3. AVIATION

Jetzt im Düsenflugzeug in zehn Stunden nach USA

LONDON, 4. *Oktober* 1958

Dieser Sonnabend ist ein historischer Tag für die Weltluft-
fahrt: um 9.58 Uhr startete auf dem Londoner Flughafen eine
Düsenmaschine vom Typ ‚ Comet IV ‘ zu ihrem ersten plan-
mäßigen Passagierflug über den Atlantik nach New York.
Eine neue Ära im Verkehr zwischen Europa und Nordamerika
ist damit angebrochen: das Zeitalter der Düsenmaschinen.
Die Flugzeit wird von bisher 17 Stunden auf knapp 10 Stunden
herabgedrückt. Auf dem Rückflug braucht die Maschine sogar
nur sechseinhalb Stunden, um die Brücke zwischen den Konti-
nenten zu schlagen. Viele hundert Zuschauer erlebten auf dem
Londoner Flughafen die denkwürdigen Minuten, als die vier
Düsentriebwerke der ‚ Comet IV ‘ aufbrüllten und die Maschine
vom Boden abhob . . .

Die ‚ Comet IV ‘, mit acht Mann Besatzung, erreicht eine
Durchschnitts-Reisegeschwindigkeit von 800 km/st. Auf dem
ersten Flug war eine Zwischenlandung in Gander auf Neu-
fundland vorgesehen. Der Gegenflug sollte ohne Stopp
zurückgelegt werden. Bei den in dieser Jahreszeit herrschenden
starken westlichen Winden rechnete man mit einer erheblich
kürzeren Flugzeit als auf dem Ost-West-Kurs.

Obwohl die Düsenmaschinen in Anschaffung und Unterhalt doppelt so teuer sind wie die Propellerflugzeuge, soll ihr
Einsatz auf die Dauer zu einer weiteren Senkung der Beförde-
rungsgebühren führen. Die kürzere Flugzeit wird die Beförde-
rungskapazität der internationalen Fluggesellschaften spürbar

erhöhen. Für 1960 rechnet man im gesamten Weltluftverkehr mit fast 150 Millionen Fluggästen. Der größte Teil von ihnen wird wie bisher auf der Nordatlantikroute befördert werden.

October 5, 1958
(*Copyright:* Die Welt, Hamburg)

SUPPLEMENTARY MATERIAL

Inwiefern sind Luftfahrtsunfälle zu vermeiden?

Der Luftverkehr nimmt jährlich um etwa 15 Prozent zu . . .
  (*air traffic is increasing annually by . . .*)

Der Fluggast verlangt Komfort und vor allem Flugsicherheit. Zusammenstöße in der Luft werden immer häufiger, da die Geschwindigkeiten der neueren Flugzeuge fast an der Schallgrenze (*sound barrier*) liegen.

Das Flugzeug muß mit den modernsten Radar-, Funkpeil- (*Radio Direction Finding*) und Navigationsgeräten ausgerüstet (*equipped*) sein.

Bis 1975 werden alle deutschen Flughäfen mit Blindlandesystemen für jedes Wetter ausgerüstet (*equipped*) sein.

die Ausbildung (*training*) der Piloten

Einige Unfälle sind auf menschliches Versagen (*failure of the human element*) der Besatzungen zurückzuführen.

die Übermüdung

der Lärm

Luftlöcher (*air pockets*)

die riesige Anzahl von Knöpfen und Hebeln im modernen Flugzeug

das überladene Gerätebrett (*instrument panel*)

Sind die Flugversicherungseinrichtungen (*air safety devices*) der Bodenstellen (*ground stations*) veraltet?

die Luftstraßen (*air-lanes*) Tag und Nacht überwachen

XIII. SCIENCE AND INVENTION

1. Moon Race

, Künstlicher Mond' gibt erste Signale

HAMBURG, 5. *Oktober* 1957

Morsesignale kommen aus dem All: – – – / · – – · Ein uralter Menschheitstraum wurde wahr. Der 4. Oktober 1957 wird in die Geschichte eingehen. Ein künstlicher Mond kreist seit Stunden über unseren Köpfen. Er rast mit 28 000 Kilometer Stundengeschwindigkeit durchs Weltall. Aus allen Erdteilen treffen stündlich Meldungen ein, daß die Signale des sowjetischen Erdsatelliten gehört werden. In Amerika und in Pakistan wurde der Trabant bereits mit Ferngläsern gesichtet. Der Griff der Russen in den Weltraum ist die Weltsensation. In 96,2 Minuten umrundet die 83 kg schwere Kugel mit einem Durchmesser von 58 cm einmal den Erdball in 900 km Höhe. Wenn sie am Horizont auftaucht, empfangen Funkamateure ihre Positionsmeldungen: die Morsezeichen O und P.

October 6, 1957

(*Copyright:* Die Welt, Hamburg)

Doppelt so hoch wie Sputnik II

CAPE CANAVERAL, 1. *Februar* 1958

Der Weltraum gehört nicht mehr allein der Sowjetunion. Seit Sonnabend früh 4.48 Uhr MEZ umkreist auch ein künstlicher US-Mond die Erde. Fast doppelt so weit wie Sputnik II ist er in den Weltraum vorgedrungen. Er heißt offiziell , Explorer ' (Forscher) und wurde von einer Jupiter-C-Rakete, die der deutsche Forscher Wernher von Braun entwickelt hat, ins Weltall geschossen. Seine Funksignale, die seit 04.51 empfangen werden, machen den 1. Februar 1958 für das amerikanische Volk zu einem der glücklichsten Tage seit Ende des zweiten Weltkrieges. Nach mehreren Fehlschlägen und Monaten tiefster Bedrückung hat Amerika den Sputnik-Vorsprung

64

der Sowjets aufgeholt, wenn auch raketentechnisch die Sowjetunion noch überlegen ist.

February 2, 1958
(*Copyright:* Die Welt, Hamburg)

Zurück — diesmal ohne Mondstaub

Nach tagelangem Ringen mit der ausgefallenen Technik in der Gerätekammer ihres Mutterschiffes ‚Odyssee' und viertägigem Kampf um ihr Leben traten die amerikanischen Astronauten James Lovell, Jack Swigert und Fred Haise auf einem exakten Kurs am Freitagabend in die Erdatmosphäre ein . . .

Das erste entscheidende Manöver am Schlußtage der sechstägigen Reise von der Erde um den Mond und zurück brachte die Kommandokapsel ‚Odyssee' genau in die Mitte des nur 50 Kilometer breiten Rückkehrkorridors. Ein Verfehlen dieses Korridors hätte den Tod der Besatzung von Apollo 13 bedeutet. Das Raumschiff wäre entweder bei Überschreiten der Korridorgrenzen auf einer riesigen Ellipse durch das Weltall um die Erde gezogen oder bei Überschreiten der Konstruktionstoleranzen auseinandergebrochen und verbrannt.

Genau zur geplanten Zeit, um 13.53 MEZ, feuerte der Kommandant des Unternehmens Apollo 13, James Lovell, die Steuerraketen von je 100 Pfund Schub an der Außenseite des Mondbootes ‚Aquarius', das weiterhin mit dem Mutterschiff ‚Odyssee' verbunden war. Die gekoppelte Raumschiffkombination hatte zu diesem Zeitpunkt eine Geschwindigkeit relativ zur Erde von 10 800 Kilometern in der Stunde. Die beiden Raumflugkörper waren noch 72 000 Kilometer von der Erde entfernt.

Ein nur sehr geringer Impuls der Steuertriebwerke war für die letzte Kurskorrektur notwendig. Die Raumschiffe wurden leicht abgebremst, damit der Wiedereintrittswinkel zwischen fünfeinhalb und siebeneinhalb Grad zum Erdhorizont noch optimiert werden konnte. Nach gelungener Kurskorrektur stand fest: Eintritt in die Erdatmosphäre in einer Höhe von 121 000 Meter um 18.53 Uhr MEZ. Für diese letzten 121 000 Meter der mehr als 800 000 Kilometer langen Strecke, die Lovell,

Haise und Swigert zum größten Teil in ihrer schwer havarierten Raumschiffkombination zurücklegten, benötigte die Kommandokapsel ‚Odyssee‘ noch 14 Minuten.

April 18, 1970
(*Copyright:* Die Welt, Hamburg)

‚Tung Fang Hung‘ kreist um die Erde

Die Chinesen sind im Raumfahrtklub: Mit Erfolg schossen chinesische Techniker einen 173 kg schweren Satelliten in eine Erdumlaufbahn, deren Höhe sich zwischen 2348 km und 439 km bewegt.

Der Start, der schon am Freitag erfolgt sein soll, wurde am Sonnabend als ‚große Siegmeldung‘ von der amtlichen chinesischen Nachrichtenagentur Hsing Hua bekanntgegeben. Der Raumflugkörper sendet von seiner 114-Minuten-Kreisbahn die Hymne ‚Tung Fang Hung‘ (Der Osten ist rot).

Das US-Luftverteidigungskommando bestätigte, daß es den Satelliten seit dem Start mit Radar verfolge. US-Experten hatten das Ereignis mehrfach vorausgesagt. Im Herbst 1966 testete China seine erste ‚satellitenverdächtige‘ Mittelstreckenrakete. Maos Raketenprogramm lief 1955 an, als der in USA ausgebildete Dr. Tsien, der ‚gelbe Wernher v. Braun‘, nach Rotchina zurückkehrte.

April 26, 1970
(*Copyright:* Die Welt, Hamburg)

SUPPLEMENTARY MATERIAL

Januar 1966: Mit dem unbemannten Raumfluggerät ‚Luna 9‘ gelang es den Sowjets, die erste weiche Mondlandung (*soft moon-landing*) zu machen.

Juli 1969: Erster Mondlandeflug (Apollo 11). Neil Armstrong und Buzz Aldrin hielten sich 21 Stunden und 37 Minuten auf dem Mond auf.

einen Mond-‚Spaziergang‘ außerhalb der Mondlandefähre (*lunar module*) machen

November 1969: Zweiter Mondlandeflug (Apollo 12). Nach einer tadellosen Ziellandung sind Charles Conrad und Alan Bean noch länger auf dem Erdtrabanten geblieben, während ihr Kamerad Richard Gordon im Mutterschiff auf der ‚Warte-bahn' um den Mond flog.

Sie haben ein Nuklear-Generator mitgenommen, der Strom für die Apparate (darunter ein Seismometer) liefert, die sie auf dem Mond abgestellt haben.

Weiter fliegen in das All!

Nach geglückter Rückkehr der gefährdeten Apolio-13-Astro-nauten sagte ihr Kollege Armstrong, der als erster Mensch den Mond betrat: ,,Wieder starten! Weiter fliegen!"

der Satellit, -en, -en / der Trabant, -en, -en / der Sputnik, -s,-s

das Raumschiff / der Raumflugkörper

die Kugel / die Kapsel

die Schwerelosigkeit (*weightlessness*)

eine vierstufige (*4-stage*) Rakete

die Abschußbasis (*firing-base*)

Geschosse (*projectiles*), die mit Überschallgeschwindigkeit fliegen

Die Vorstellungskraft versagt vor (*imagination boggles at*) diesen neuen Erfindungen.

Die Utopie von gestern ist die Wirklichkeit von morgen!.

2. INVENTION FOR PEACE OR WAR?

Die Wissenschaft im Dienst der Menschheit

die Kernverschmelzungsenergie (*thermo-nuclear power*) für friedliche Zwecke nutzen

Calder Hall (schon seit 1956 in Betrieb (*operative*)): das erste kommerzielle Atomkraftwerk (*atomic power plant*) der Welt.

Wettersatelliten ermöglichen eine bessere Vorhersage (*forecast*).

Das stellt alles Bisherige in den Schatten (*puts all that has gone before into the shade*).

Sollten Kernwaffenversuche verboten werden?

die radioaktive Bestrahlung / der radioaktive Staub (*dust*)
der Staubfall ('*fall-out*')
der Geigerzähler
der Blutkrebs (*leukaemia*)
die ‚schmutzige' Wasserstoffbombe / H-Bombe, die eine radioaktive Verseuchung (*contamination*) auslöst (*releases*)
die Lenkwaffe (*guided missile*)
der Lenkwaffenzerstörer

Die Rolle des atomgetriebenen Unterseeboots in der Zukunft

XIV. INDUSTRIAL PROBLEMS

Work and Leisure

100 000 Fahrer streiken: Verkehrschaos in England

London, 20. *Juli* 1957

Großbritannien steht seit 12 Stunden in einer schweren Verkehrs- und Versorgungskrise. Die britische Regierung fürchtet, daß die Auswirkungen die des Generalstreiks vom Jahre 1926 noch übertreffen. Mehr als 100 000 Fahrer und Schaffner von 28 000 Bussen privater Verkehrsgesellschaften legten um Mitternacht die Arbeit nieder. Sie haben damit ihre Drohung wahr gemacht, einen großen Teil des britischen Verkehrs lahmzulegen, wenn ihnen nicht eine Lohnsteigerung von einem Pfund wöchentlich gewährt wird. Schon wenige Stunden nach Streikausbruch gab es in allen Teilen des Landes ein Verkehrschaos. An verschiedenen Orten kam es zu Tätlichkeiten zwischen arbeitswilligen Schaffnern und Streikposten.

Hunderte von großen Werken, Fabriken und Baustellen mußten am Sonnabend entweder ihre Arbeit einstellen oder dafür Sorge tragen, daß die Arbeiter und Angestellten mit Privatfahrzeugen an ihre Arbeitsplätze gebracht wurden. Mehrere Firmen mieteten ganze Taxiflotten und Lastwagen, die die Arbeiter von zu Hause abholten. Dabei kam es zu Zwischenfällen. Streikposten auf allen Landstraßen hielten jeden ‚Schwarzfahrer-Omnibus' an und zwangen die Insassen zum Aussteigen. Immer wieder mußten große Aufgebote der Polizei einschreiten.

Die ernstesten Auswirkungen hat der britische Busstreik auf den Urlaubsverkehr. Die meisten Engländer müssen auf ihre Wochenendfahrt verzichten. Auch die britische Eisenbahngesellschaft kann die plötzliche Verkehrsnot nicht mindern. Die Eisenbahnergewerkschaft hat sich mit den Busfahrern solidarisch erklärt. Sie will den Einsatz von Sonderzügen verhindern. Die Eisenbahner haben der Drohung der Gewerkschaft zugestimmt.

July 21, 1957

(*Copyright:* Die Welt, Hamburg)

Soziale Agitation in Italien

In Italien hat eine weitere Woche schwerer Streiks begonnen. „ Das Staatsschiff droht zu sinken. Wir stehen kurz vor dem Punkt, an dem alles zerbrechen wird ", rief Ministerpräsident Rumor am Pfingstsonntag bei einer Wahlkundgebung der Christlichen Demokraten in Mestre aus.

. . .

Am Pfingstmontag — der in Italien ein normaler Arbeitstag ist — begann ein zwölfstündiger Ausstand der Düsenmaschinen-Piloten der Alitalia: Die Zeitungsdrucker stellen ihre Arbeit für sieben Tage ein; die unbefristete Arbeitsniederlegung der leitenden Staatsangestellten hielt an. Insgesamt werden in dieser Woche mehr als zwei Millionen Beamte, Arbeiter und Angestellte das Land mit regional gestaffelten Streiks und Massendemonstrationen lahmlegen.

Im Laufe der Woche werden alle Staatsangestellten — außer den Richtern und Soldaten — die Feuerwehrleute, Volks- und Oberschullehrer, Eisenbahner, Warenhausverkäufer, Postbeamte, Tankwarte sowie Bauern ihre Arbeit niederlegen. Sie fordern bessere Bezahlung und die Verwirklichung der seit langem zugesicherten Reformen im Bereich des Volkswohnungsbaus, der Steuer, des Verkehrs, der Krankenversorgung und der Bildung. Inzwischen drohen die drei großen Gewerkschaften mit Generalstreikaktionen rein politischer Zielsetzung.

May 19, 1970

(*Copyright:* Die Welt, Hamburg)

SUPPLEMENTARY MATERIAL

In Großbritannien gingen in den ersten drei Monaten von 1970 mehr als zwei Millionen Arbeitstage verloren.

der Gewerkschaftssprecher (*trade union spokesman*)
der Arbeitgeberverband (*employers' association*)
der Sitzstreik
Lohnverhandlungen (*wage negotiations*)
die Forderung nach einer Lohnerhöhung um 10 Prozent

die Verhandlungen sind gescheitert / sind abgebrochen worden
Es kommt zu einem Generalstreik.
ein Lohnabkommen (*wages agreement*)
zu einer Einigung gelangen (*to come to an agreement*)
Ein Ansteigen der Preise folgt.
der Lohnstopp (*wage ceiling, freeze*)
der Lohnzuschlag (*wage increment, extra pay*)
der Kreislauf der Wirtschaft (*economic spiral*)

Die Einführung der Fünf-Tage-Woche

Wie soll diese Arbeit in einer kürzeren Zeit bewältigt werden?
   Durch mehr Arbeiter? — das führt zu höheren Preisen, dann
   zu höheren Löhnen.
im Schichtwechsel arbeiten (*to work shifts*)
Bis 1985 — so hoffen die deutschen Gewerkschaften — wird
   die 35-Stunden-Woche eingeführt sein.

*Was wird der Mensch mit seiner Freizeit anfangen, wenn die
   40-Stunden-Woche einmal Wirklichkeit wird?*

Was für ein Arbeitertyp wird durch die Automation entstehen?
an einer Schalttafel (*switchboard*) sitzen
sich die Hände nicht schmutzig machen
Die Automation hat Schichtarbeit zur Folge, denn teuere
   Maschinen müssen Tag und Nacht kontrolliert werden.
Störungen des Lebensrhythmus
Die Rolle der Freizeit: durch Sport, Gartenarbeit, Wande-
   rungen, u.s.w., den körperlichen Ausgleich schaffen (*to
   compensate physically*).   Wir leben in einer Freizeit-Gesell-
   schaft: zum erstenmal in der Geschichte können wir länger
   ausruhen, als wir arbeiten.

XV. T.V. TOPICS

1. THE BOX — IN COLOUR

Das Farbfernsehen

Noch rechtzeitig zur Fußball-Weltmeisterschaft werden Farbfernsehgeräte teurer. Die Anhänger der deutschen Nationalmannschaft haben bereits 1:0 verloren. Begründung von Philips für die höheren Preise: „Eine fortschrittlichere Technik." Begründung von AEG-Telefunken: „. . . und wegen der allgemeinen Kostensteigerung." Begründung von Grundig: „Die Bildröhre ist teurer."

Noch sind die‚alten' Modelle aus der 69er Produktion auf dem Markt. Ihre Preise haben sich nicht verändert. Aber wer will schon einen Fernsehempfänger aus dem vorigen Jahr, wenn daneben der neue steht — und der kostet mehr.

So beträgt beispielsweise der gebundene Preis für den billigsten neuen Farbfernseher bei AEG-Telefunken 2098 Mark (Modell PAL Color 640T). Das preiswerteste Gerät aus der 69er Produktion ist 40 Mark billiger.

Philips läßt sich den ‚Goya 66' mit 2398 Mark bezahlen. Der weitgehend vergleichbare ‚Goya Luxus' aus dem auslaufenden Programm kostete immerhin 70 Mark weniger. Allerdings: Der neue Farbempfänger hat einen 66er Bildschirm, der alte einen 63er.

April 12, 1970
(*Copyright:* Die Welt, Hamburg)

SUPPLEMENTARY MATERIAL

Die Zahl der Farbfernsehgeräte in der Bundesrepublik wird sich nach Ansicht der Hersteller (*manufacturers*) bis Ende des Jahres 1970 verdoppeln — von 750 000 Ende 1969 auf 1,5 Millionen.

Im allgemeinen ist bei Farbgeräten der Trend zum großen Schirm noch stärker als im Schwarzweiß-Geschäft.

Das Farbfernsehen wird nach dem Auto zum zweitwichtigsten Statussymbol des Bundesbürgers. Wenn dieser ein Farbgerät kauft, behält er gewöhnlich das alte Schwarzweiß-Gerät für die Oma (*grandma*) (damit sie endlich in ihrem Zimmer bleibt) oder für die Kinder. (Bei dem deutschen System können, genau so wie in England, Farbsendungen als schwarzweiß empfangen werden.)

den Apparat mit voller Lautstärke (*at full volume*) spielen lassen

in Großaufnahme erscheinen (*to appear in close-up*)

eine Originalübertragung (*live transmission*)

die Fernsehübertragung eines Sportereignisses

Die Rolle des Fernsehens in der Zukunft

1. auf dem Gebiete der Medizin: Augenzeuge einer Operation sein
2. im Weltraumforschen: Fernsehaufnahmen von der abgekehrten Seite des Monds
3. als politisches Werkzeug (*tool*): die Politik dringt ins Heim.
4. Schulunterricht durch das Fernsehen

Das Fernsehen: Geißel (scourge) des Jahrhunderts?

Zerstört das Fernsehen die Familiengemeinschaft? Stört es gesunde Diskussion unter Freunden?

der Einfluß auf die Jugend

das Problem der Hausaufgaben

Augenbeschwerden (*eye troubles*)

Der Gottesdienst in einem Kasten (*church services from a box*)! Was sagen Sie dazu?

Das Schulfernsehen (T.V. for schools)

der Bildschirm als Lehrmittel

den individuellen Unterricht durch eine zentral geleitete Fernsehstunde ersetzen

die Ergänzung (*supplementing*) des Lehrplans

die Kunsterziehung
das Drama
Komplizierte biologische Vorgänge (*processes*) können von der ganzen Klasse beobachtet werden.
Reportage über die Industrie, die Landwirtschaft (*rural economy*), das Leben im Ausland
Ist das Fernsehen ein Gewinn für unsere Kinder? Hält es sie vom Denken ab?
Erreicht das Schulfernsehen ein hohes Niveau und hält es dieses Niveau auch (*Is television for schools setting and maintaining a high cultural standard*)?
Die unabhängige Fernsehgesellschaft (*IBA*) hat, im Gegensatz zur BBC, keinen Anteil an den Fernsehteilnehmergebühren (*receives no share of T.V. licence fees*). Sie fördert das Schulfernsehen nur aus Prestigegründen; im Laufe dieser Programme wird keine Reklame gesendet.

2. SUBLIMINAL ADVERTISING
Die Werbung von ‚ 1984 '

Rund drei Dutzend New Yorker Publizisten und Psychologen wurde in dieser Woche ein interessantes Experiment vorgeführt. Während einer Filmprojektion flammte im Abstand von fünf Sekunden eine Anzeige auf der Leinwand auf, aber so schnell, daß das Auge und vor allem das Gehirn sie nicht registrierten. Niemand aus dem Zuschauerraum , wußte ' nach der Vorführung, daß er auf eine besondere Limonade hingewiesen worden war . . .

Man hat bereits Tests in amerikanischen Kinos gemacht und auf diese , unterbewußte Weise ' eine bestimmte Art von geröstetem Mais propagiert. Am Kino-Ausgang stieg der Umsatz um 60 Prozent.

Es haben sich aber auch schon Stimmen gegen diese Art der , unterschwelligen Beeinflussung ' erhoben. Der Autor eines in Amerika sehr bekannten Buches über Werbertechnik, Vance Packard, hat sie als „ flagrante soziale Unmoral, eine Technik, die eines Goebbels würdig ist, aber nicht eines

Geschäftsmannes oder eines Politikers in einer Demokratie "
bezeichnet.

Denn über die verhältnismäßig harmlose Werbung für ein
Waschmittel oder eine Schokoladenmarke hinaus, so fürchtet
man, könnte sich die politische Beeinflussung dieses offenbar
sehr wirksamen Mittels bedienen. Schon spricht man von
„ einem 1984 der Werbung." Es gibt Leute, die Gesetze
fordern, durch die die , unterbewußte Propaganda ' ein für
allemal streng verboten wird.

Die Psychologen haben einstweilen keine so großen Be-
fürchtungen. Sie meinen, die , Blitz-Werbung ' sei wohl in der
Lage, einen unterbewußten Wunsch nach Eis, Limonade oder
einem Staubsauger zu verstärken. Sie sei aber nicht in der
Lage, diesen Wunsch erst zu erzeugen ... Bei einem Eskimo
wird sie kaum den Willen lenken können, sich einen Eisschrank
zu kaufen.

September 22, 1957

(*Copyright:* Die Welt, Hamburg)

Supplementary Material

*Halten Sie die , unterschwellige ' Werbung für tadelswert /
verwerflich?*

die Werbung (*publicity, advertising*)
Reklame machen (*to advertise*)
Ist die Methode der , unterschwelligen Reklame ' ein Eingriff
in die Persönlichkeit? Öffnet diese neue Methode nicht der
Demagogie Tür und Tor?
der skrupellose Propagandist
sich Mittel zur unterbewußten Beeinflussung (*influencing by
the subconscious*) bedienen
Sollte nicht ein Strafgesetz solche Versuche verbieten?

XVI. TOWARDS THE YEAR 2000

Explanatory Material

Im Jahre 1965 erschien im Auftrage der RAND Corporation in Santa Monica (Kalifornien) ein Bericht „ P-2982 " von T. J. Gordon und Olaf Helmer, der Prognosen über künftige Entwicklungen auf militärischem, politischem und sozialem Gebiete stellt. Die beiden Verfasser und ihre Mitarbeiter — Fachleute und Sachverständige — sollten Vermutungen über „ die Gesellschaft von morgen " auf folgenden sechs Gebieten äußern:

1. Neue wissenschaftliche und technische „ Durchbrüche "
2. Probleme, die der Bevölkerungszuwachs (*population increase*) aufwirft
3. Automation
4. Weltraumforschung
5. Kriegsverhinderung
6. Rüstungswettlauf (*arms race*)

Die Versuchsleiter haben drei typische Zukunftsbilder von 1984, 2000 und 2100 zu kondensieren versucht:

Die Welt von 1984

Die Welt von 1984 bietet im Vergleich zu heute noch keine allzugroßen Veränderungen. Zwar wird die Weltbevölkerung abermals um vierzig Prozent (auf 4,3 Milliarden Einwohner) angestiegen sein, aber das Tempo der Beschleunigung auf diesem Sektor hat bereits etwas nachgelassen, da eine wirksame Geburtenkontrolle sich inswischen in allen Breitengraden und bei Anhängern aller Religionen durchgesetzt haben wird.

Die Medizin hat auf dem Gebiete der Überpflanzung natürlicher und künstlicher Organe große Fortschritte gemacht. Zunehmende Mechanisierung, zum Teil auch Automatisierung der Landwirtschaft sowie Gewinnung großer Nahrungsflächen durch die Berieselung ehemaliger Wüsten mit entsalztem Meerwasser garantiert die Ernährung für die angewachsene Erdbevölkerung.

Auf dem Mond ist eine Forschungsstation errichtet worden, bemannte Raumschiffe haben auf Mars und Venus zwar noch nicht landen können, sind aber schon in der Nähe vorbeigeflogen.

Die Wahrscheinlichkeit, daß bis 1984 ein Weltkrieg vermieden werden kann, schätzen die Experten auf 80 bis 85 Prozent (allerdings erfolgten diese Angaben noch vor der Zuspitzung der Vietnam-Krise!).

May 23, 1965
(*Copyright:* Welt am Sonntag, Hamburg)

Die Welt im Jahre 2000

Die Welt im Jahre 2000:

Bevölkerungszuwachs auf 5,1 Milliarden. Neue Nahrungsquellen durch geplante und mechanisierte Ausbeutung der Ozeane sowie durch die Herstellung synthetischen Proteins.

Kontrollierte thermonukleare Kernverschmelzung als neue unerschöpfliche Energiequelle. Regionale Wetterkontrolle praktisch durchführbar.

Allgemeine Impfung gegen alle Formen von Bakterien- und Viruskrankheiten möglich. Primitive Formen des Lebens in den Laboratorien erzeugt. Erbdefekte können durch „ molekulare Ingenieurkunst " beseitigt werden.

Die Automation ist weiter fortgeschritten. Elektronengeräte lösen Aufgaben, die einen hohen Intelligenzgrad verlangen.

Eine weltweit gültige Universalsprache, gegründet auf der „ Zeichensprache der Computer ", ist überall im Gebrauch.

Auf dem Mond hat man mit dem Schürfen von Metallen begonnen.

Auf dem Mars sind Menschen gelandet und haben unbemannte Forschungsstationen zurückgelassen, die ihre Resultate zur Erde funken. Interkontinentaler Verkehr mit Raketentransportern.

Manipulierung des Wetters zu militärischen Zwecken ist undurchführbar.

May 23, 1965

Copyright: (Welt am Sonntag, Hamburg)

Die Welt im Jahre 2100

Die Weltbevölkerung hat dann 8 Milliarden erreicht. Die chemische Kontrolle der biologischen Vorgänge, die wir als „ Altern " bezeichnen, ist weitgehend gelungen, und die durchschnittliche Lebenserwartung ist auf weit über hundert Jahre angestiegen.

Es ist möglich, durch Stimulierung der Lebensprozesse neue Glieder und Organe am oder im Körper des Menschen wachsen zu machen.

Eine viel engere Zusammenarbeit (Symbiose) von Mensch und Maschine ist erreicht: direkte Verbindung von Gehirn und „ künstlichen Gehirnen " (Computern).

Abermalige Fortschritte der Automation: Haushaltsroboter, Faksimilezeitungen, die ins Haus geliefert werden, elektronisch gesteuerter Autoverkehr sind selbstverständlich.

An Stelle des Bergbaus, der keine neuen Rohstoffquellen mehr ausschöpfen kann, ist eine „ wirtschaftlich praktikable Transmutation der Elemente " getreten.

Besonders revolutionäre Konsequenzen zieht die Veränderung der Schwerkraftfelder nach sich.

Eine Expedition nach einem anderen Sonnensystem ist unterwegs. Die Mitglieder dieses „ Multigenerationen-Unternehmens " werden auf der Reise an Altersschwäche sterben, auf der „ langen Reise " Neugeborene die Steuerung des Raumschiffes übernehmen. Andere projektivierte Möglichkeiten: „ Astronauten im künstlichen Todesschlaf ", die dann erst zu einem späteren Zeitpunkt der Fahrt wiedererweckt werden.

May 23, 1965

(*Copyright:* Welt am Sonntag, Hamburg)

Unerwartete Möglichkeiten

Die beiden Verfasser Gordon und Helmer bekennen, daß ihnen die Studie eine Reihe von neuen Einsichten beschert hätte. Folgende Gedanken hätten sie trotz ihrer langjährigen Beschäftigung mit Zukunftsprognosen vorher nicht antizipiert:

Die Möglichkeit, daß die Weltmeere zum Gegenstand territorialer Souveränitätsansprüche einzelner Nationen werden könnten.

Die Wahrscheinlichkeit, daß schon in naher Zukunft Massen von Rauschmitteln und Medikamenten verwendet werden, die zu einer „Kontrolle der Persönlichkeit" mißbraucht werden können.

Das Vertrauen der Experten auf eine allmähliche Abflachung der Bevölkerungskurve.

Die große Wahrscheinlichkeit des Aufkommens von Waffen, die nicht töten, nicht zerstören und (unter Umständen sogar ohne Wissen des Angegriffenen) den Gegner biologisch oder psychologisch zu schädigen versuchen.

Der erstaunliche Mangel an bedeutenden neuen Ideen zur Verhinderung von Kriegen.

May 23, 1965

(*Copyright:* Welt am Sonntag, Hamburg)

GERMAN-ENGLISH VOCABULARY

Separable verbs are marked: (*sep.*).

Strong and mixed verbs are shown by an asterisk.

Parts of speech, generally clear from the meaning, are indicated only where doubt would exist.

Adverbial sense of adjectives is not generally given.

Genitive singular and nominative plural are given thus:

der Abend, -s, -e; this indicates that the genitive is des Abends and the plural die Abende.

Adjectives and participles used as nouns are marked: (*adj. decl.*).

abblenden (*sep.*), to dip (headlamps)

abermalig, repeated, renewed

abermals, again, once more

der Abfall, -s, ⁼e, waste, refuse

die Abfindung, -, -en, settlement of money

abgekehrt von, turned away from

ablenken (*sep.*), to divert, to distract

abreißen* (*sep.*), to tear off; die Unglücksserie reißt nicht ab, there is no end to the chapter of accidents

die Abrüstung, -, -en, disarmament

abschaffen (*sep.*), to abolish

die Abschreckung, -, -en, deterrent

die Abwehr, -, (*no plural*), defence, resistance

die Ächtung, -, -en, outlawing, proscription

ahnen, to suspect, to surmise

aktuell, topical

das All, -s, (*no plural*), universe

der Allgemeinbegriff, -s, -e, general conception, generalization

die Allgemeinheit, -, (*no plural*), the general public

der Alltag, -s, (*no plural*), weekday, everyday life

das Altern, -s, (*no plural*), growing old, the ageing process

der Altersgenosse, -n, -n, coeval, person of same age

anbringen* (*sep.*), to install, to erect, to put up

anderthalb, one and a half

die Angabe, -, -n, statement, declaration

der Angestellte (*adj. decl.*), employee

anhalten* (*sep.*), to continue, to persist

der Anhänger, -s, -, adherent, follower, supporter

sich ankündigen (*sep.*), to be heralded in

die **Anlage**, -, -n, setting-up, installation

der **Anlaß**, -sses, ¨sse, cause, reason

anlaufen* (*sep.*), to begin to make headway

die **Anschaffung**, -, -en, outlay; **Anschaffung und Unterhalt**, outlay and maintenance

die **Anschauung**, -, -en, outlook, point of view

die **Ansicht**, -, -en, view, opinion; **er ist der Ansicht** (*gen.*), he is of the opinion

der **Anspruch**, -s, ¨e, claim

die **Anstrengung**, -, -en, exertion, effort

die **Antriebskraft**, -, ¨e, source of power

die **Anzeige**, -, -n, announcement, advertisement

der **Arbeitnehmer**, -s, -, employee

das **Atom**, -s, -e, atom

die **Atembeschwerden** (*plural*), difficulty in breathing

die **Atemnot**, -, (*no plural*), difficulty in breathing

das **Aufbäumen**, -s, -, rally (in a football match)

auffordern (*sep.*), to call upon, to demand of

der **Aufgebot**, -s, -e, draft (as of troops); **große Aufgebote der Polizei mußten einschreiten**, large numbers of extra police had to intervene

aufgeschlossen, open-hearted

aufheulen (*sep.*), to whine, to roar

die **Aufnahme**, -, -n, photo, picture, image

das **Aufsehen**, -s, (*no plural*), stir, sensation; **Aufsehen erregen**, to cause a stir

auftauchen (*sep.*), to emerge

der **Auftrag**, -s, ¨e, mandate

die **Ausbeutung**, -, en, exploitation

die **Auseinandersetzung**, -, -en, scuffle, altercation

die **Ausgabe**, -, -n, expenses, outlay, expenditure

ausgefallen, out of action

auskommen* (*sep.*), to manage, to get along

auslaufen* (*sep.*), to run out, be discontinued; **aus dem auslaufenden Programm**, from a line which is being discontinued

ausreichend, sufficient, adequate

die **Aussage**, -, -n, assertion, statement

ausschließen* (*sep.*), to exclude; **beides schließt einander aus**, the two things are mutually exclusive

die **Aussöhnung**, -, -en, atonement, reconciliation

der **Ausstand**, -s, ¨e, strike

die **Ausstattung**, -, -en, set of equipment, outfit

die **Autoabgase** (*plural*), car exhaust fumes

die **Autoschlange**, -, -n, traffic queue

die **Baustelle**, -, -n, building site

die **Bedingung**, -, -en, stipulation, condition

die **Beeinflussung**, -, -en, influencing

die **Beförderung**, -, -en, transportation, haulage

die **Beförderungsgebühr**, -, -en, haulage rates, transportation costs

befriedigt, contented

der **Begriff**, -s, -e, idea, conception

die **Begründung**, -, -en, argument, reason

beherrschen, to govern, to control

benommen, confused, benumbed

beobachten, to watch, to observe

die **Beratungsstelle**, -, -n, advisory board, advice bureau

die **Berechtigung**, -, -en, rights, privilege, authorization

der **Bergbau**, -s, (*no plural*), mining

bergen*, to conceal, to contain

die **Berieselung**, -, -en, sprinkling, spraying

der **Beruf**, -s, -e, profession, job

besagen, to signify; **es besagt mir nichts**, it means nothing to me

die **Besatzung**, -, -en, crew (of ship, plane)

das **Besatzungsregime**, -s, -s, military occupation

bescheren (+ *dat.*), to present (with)

der **Besserwisser**, -s, -, know-all, meddling busybody

betragen*, to amount to

der **Betriebsgully**, -s, -s, factory drain

die **Beurteilung**, -, -en, judgement, estimation

die **Bewußtseinstrübung**, -, -en, clouding of consciousness, somnolence

der **Bezwinger**, -s, -, conqueror

die **Bildröhre**, -, -n, (T.V.) picture-tube

der **Bildschirm**, -s, -e, (T.V.) screen

die **Bildung**, -, (*no plural*), education

billigen, to approve of

die **Bindung**, -, -en, contact, obligation

die **Birne**, -, -n, light-bulb

der **Bleigehalt**, -s, -e, lead content

der **Bodensee**, -s, (*no plural*), Lake Constance

der **Breitengrad**, -s, -e, (degree of) latitude, part of the globe

die **Bremse**, -, -n, brake

der **Brennstoff**, -s, -e, fuel

Buch führen, to keep accounts

bügeln, to iron

der **Bund**, -es, ⁻e, federation; **die Bundesrepublik**, Federal Republic

der **Bundesinnenminister**, -s, -, Federal Minister of the Interior der **Bundestag, -s, -e,** Federal Diet (the Lower House of the West German Parliament)

der **Bürger, -s, -,** citizen

sich **decken (mit),** to be identical, coincide (with)

demgegenüber, on the other hand, by contrast

denkwürdig, memorable

dermaßen, to such an extent

deuteln, to shake; **daran ist nicht(s) zu deuteln,** there is no getting away from it

die **Drohung, -, -en,** threat

die **Dunstglocke, -, -n,** smoke pall

die **Durchquerung, -, -en,** crossing

der **Durchschnitt, -s, -e,** average, mean

das **Düsenflugzeug, -s, -e,** jet aircraft

die **Eignung, -, -en,** aptitude

die **Einberufung, -, -en,** summoning (of a meeting, etc.)

eingebildet, imaginary; presumptuous

die **Einkommengruppe, -, -n,** income group

sich **einlassen*** (*sep.*) **(auf +** *acc.***),** to venture upon; to have anything to do with

einmalig, happening only once; **ein einmaliges Erlebnis,** the experience of a lifetime

die **Einrichtung, -, -en,** arrangement

der **Einsatz, -es, -e,** stake (in betting); employment, putting into use

einschlägig, pertinent, appropriate; **die einschlägige Lektüre,** literature on the subject

einsetzen (*sep.*), to stake (a bet)

die **Einsicht, -, -en,** point of view, insight

einstellen (*sep.*), to suspend, to stop; **die Arbeit einstellen,** to stop work

die **Einstellung, -, -en,** suspension, cessation

einstweilig, for the time being

eintreffen* (*sep.*), to arrive

einwandfrei, here: perfectly, completely

einzeln, individual; **im einzelnen,** in individual cases

die **Eliteeinheit, -, -en,** body of picked troops

endgültig, final, definite

die **Endstufe, -, -n,** final stage (of a rocket, etc.)

die **Entrüstung, -,** (*no plural*), indignation

entsalzt, de-salinated

die **Entspannungspolitik, -, -en,** policy of détente

entsprechen* (**+** *dat.*), to correspond (to), to conform (to)

die **Entwicklung, -, -en,** development

der **Entwurf, -s, ⸚e,** draft plan, scheme

der **Erbdefekt, -s, -e,** hereditary defect

die **Erbmasse, -, -n,** undivided estate (Law)

der **Erdtrabant, -en, -en,** satellite of the earth (here: the moon)

erforschen, to investigate, to explore

sich **ergeben*,** to result, to be produced

das **Ergebnis, -ses, -se,** result

erheblich, considerable, appreciable

erläutern, to explain, to interpret

ermitteln, to ascertain, to discover

erobern, to conquer

erschrecken, to terrify

die **Faksimilezeitung, -, -en,** newspaper produced from transmitted signals

der **Fallschirmjäger, -s, -,** paratrooper

die **Faust, -, ⸚e,** fist; **auf eigene Faust,** ' off one's own bat '

der **Fernsehapparat, -s, -e,** television set

die **Fernsehaufnahme, -, -n,** photograph by television

findig, resourceful, ingenious

das **Floß, -es, ⸚e,** raft

der **Flüchtling, -s, -e,** refugee

die **Form, -, -en,** form; **in aller Form,** formally

fortschrittlich, progressive, advanced

fragwürdig, dubious

die **Fraktion, -, -en,** (parliamentary) party group

die **Frist, -, -en,** appointed period of time

frohlocken, to exult

frönen, to indulge in, to be addicted to; **er frönt einem Laster,** he is indulging in a vice

fuchteln, to brandish

die **Führung, -, -en,** leadership, guidance

funken, to send a wireless signal

fußballversessen, crazy about football

das **Gebild(e), -s, -e,** form, organization

gebunden, here: fixed (of price)

die **Geburtenkontrolle, -, -n,** birth control

geeignet, suited, adapted, fitted

gefährden, to endanger

das **Gefüge, -s, -,** structure

das **Gehalt, -s, ⸚er,** wages, salary

die **Geißel, -, -n,** scourge

gelästert, maligned

gelegentlich, occasional

der **Gelehrte** (*adj. decl.*), (adult) scholar

die **Gemeinschaft, -, -en,** community

die **Genehmigung, -, -en,** permission

geplagt, harassed

gerecht werden* (+ *dat.*), to satisfy, to do justice to

der **Gerichtsbeschluß**, -sses, ⸚sse, court order (Law)

die **Gesamteinnahme**, -, -n, total takings, ' gate ' receipts

das **Geschoß**, -sses, -sse, projectile

geschweige denn (*adv.*), let alone, not to mention

die **Geschwindigkeit**, -, -en, speed

die **Gesellschaft**, -, -en, society

das **Gesetz**, -es, -e, law

das **Gespür**, -s, (*no plural*), instinct, flair

gestaffelt, staggered; **regional gestaffelt**, staggered by regions

der **Gestrauchelte** (*adj. decl.*), petty offender

das **Getriebe**, -s, -, (automobile) transmission, gear, drive

getrost, confident(ly)

gewährleisten, to guarantee

die **Gewalttätigkeit**, -, -en, violence

die **Gewerkschaft**, -, -en, trade union

glänzen, to show off

die **Gleichberechtigung**, -, -en, equality of rights

die **Gletscherspalte**, -, -n, glacial crevasse

glimpflich, smoothly, without trouble; **alles lief glimpflich ab**, everything turned out smoothly

glückstrahlend, beaming with happiness

die **Glücksverheißung**, -, -en, augury of good fortune

das **Grenzerdasein**, -s, (*no plural*), frontier existence

der **Großverband**, -(e)s, ⸚e, unwieldy group

grundsätzlich, on principle

die **Grundschule**, -, -n, primary school

das **Grundwasser**, -s, -, underground water

der **Grünstreifen**, -s, -, grass dividing-verge on dual carriageway

gültig, valid

der **Gummiknüppel**, -s, -, rubber truncheon

der **Güterstand**, -s, (*no plural*), position in regard to property and assets

der **Gymnasiast**, -en, -en, grammar-school boy

der **Häftling**, -s, -e, prisoner

das **Häubchen**, -s, -, (nurse's) cap, bonnet

das **Haushaltsabwasser**, -s, ⸚, household sewage

der **Hausjournalist**, -en, -en, ' club columnist '

hauswirtschaftlich, in the field of domestic economy

die **Haut**, -, ⸚e, skin

havariert, damaged

der **Hebel**, -s, -, lever

hemmen, to restrain, to hinder, to inhibit

hinweisen* (*sep.*) (**auf** + *acc.*), to make allusion (to)

hinzufügen (*sep.*), to add

hocken, to crouch, to squat

die **Impfung, -, -en,** vaccination, inoculation

das **Industrierevier, -s, -e,** industrial district

der **Insasse, -n, -n,** occupant, passenger

irgendeiner, anybody

jubeln, to break out in cheering

jüngst, recent

der **Käfer, -s, -,** beetle; here: the popular Volkswagen model

die **Kaufkraft, -,** (*no plural*), purchasing power

die **Kehle, -, -n,** throat

die **Kenntnis, -, -se,** knowledge, information; **zur Kenntnis nehmen*,** to take note of, to acknowledge

die **Keplersche Ellipse, -, -n,** 'Kepler's Ellipse' (Johann Kepler (1571–1630) established the laws governing the elliptical orbit of planets around the sun)

das **Kernproblem, -s, -e,** fundamental problem

die **Klassenfrequenz, -, -en,** size of class

knapp, scarce(ly), bare(ly)

knappsitzend, tight-fitting

das **Kohlenmonoxyd, -(e)s,** (*no plural*), carbon monoxide

konkurrieren, to compete

die **Krankenversorgung, -,** (*no plural*), sickness benefit

krebsfördernd, encouraging the growth of cancer, carcinogenic

kreisen, to circle

der **Kultusminister, -s, -,** minister for education (in the German Federal Republic education is administered exclusively by the individual **Länder**)

der **Kummer, -s,** (*no plural*), sorrow, worry

kuppeln, (*auto.*) to use the clutch

künstlich, artificial

lahmlegen (*sep.*), to paralyse

das **Land, -es, ̈er,** country, state, province (the West German Federal Republic is made up of 11 **Länder**)

die **Lastwagenkolonne, -, -n,** convoy of lorries

lauern, to lurk, to lie in wait

ledig, single, unmarried

die **Leinwand, -,** (*no plural*), screen (in cinema)

leisten, to carry out, to provide; **Steuervorauszahlungen leisten lassen,** to levy (extra) tax in advance

sich **leisten,** to afford

der **Lohn, -s, ̈e,** wages, salary

sich **lohnen,** to be worth while, to pay

der **Lohntarif, -s, -e,** wage-scale, wage-index

die **Lücke, -, -n,** gap

das **Luftverteidigungskommando, -s, -s,** air defence command

der **Mais, -es,** (*no plural*), Indian corn; **gerösteter Mais,** 'popcorn'

das **Matriarchat, -s, -e,** matriarchy

die **Mehrheit, -, -en,** majority

die **Meldung, -, -en,** message, report

die **Menge, -, -n,** quantity, amount; **jede Menge** (*colloquial*), any amount

MEZ (*abbrev. of* **mitteleuropäische Zeit**), Central European Time

mindern, to diminish, to lessen

die **Mittelschicht, -, -en,** intermediate layer (here: middle classes)

die **Mittelstreckenrakete, -, -n,** medium-range rocket

das **Moped, -s, -s,** motorized bicycle

der **Müllplatz, -es, ̈-e,** refuse tip

das **Nachrichtenwesen, -s, -,** information service

nachsichtig, indulgent

die **Nächstenliebe, -,** (*no plural*), charity, love of one's fellows

die **Nahrungsfläche, -, -n,** food-producing region

die **Nahrungsquelle, -, -n,** source of food

der **Notstand, -(e)s, ̈-e,** (state of) emergency

die **Oberin, -, -nen,** (hospital) matron

der **Oberstudienrat, -s, ̈-e,** senior assistant master (here: an education official with teaching experience)

öd(e), desolate, dreary

öffentlich, public

optimieren, to correct (for optimum angle of re-entry)

die **pädagogische Hochschule, -, -n,** college of education

die **Pflicht, -, -en,** duty

pieken, to point upwards (as of finger, in disapproval)

planmäßig, according to plan, scheduled

pochen, to knock, to beat; **der Süden pocht auf die Rechte der Einzelstaaten,** the South is taking a stand upon the rights of the separate states

der **Publizist, -en, -en,** (political) journalist

der **Putsch, -es, -e,** riot

der **Rahmen, -s, -,** frame(work)

raketentechnisch, in matters of rocket technique

der **Rassenhetzer, -s, -,** racial agitator

der **Raubüberfall, -s, ̈-e,** (armed) attack, hold-up

der **Rausch, -es, ̈-e,** intoxication, delirium

das **Rauschmittel, -s, -,** narcotic, drug

rechts 'ran, keep to the right! (in Continental driving)

die **Regie, -, -n,** management; **Regie führen,** to act as manager

richten, to direct, to aim

ringen*, to struggle, to argue heatedly

ritterlich, courteous

die **Röhrenhosen** (*usually plural*), 'drainpipe' trousers

die **Rohstoffquelle, -, -n,** source of raw material

routiniert, experienced

der **Rückfall, -s, ⁼e,** relapse

die **Rücksichtnahme, -, -n,** consideration, respect

der **Ruf, -s,** (*no plural*), reputation

der **Sachverständige** (*adj. decl.*), expert, specialist

satellitenverdächtig, suspected of (being capable of) launching a satellite

der **Schaden, -s, ⁼,** harm, detriment, damage

schädigen, to harm

der **Schaffner, -s, -,** (bus, etc.) conductor

schalten, (*auto.*) to change gear

der **Schalthebel, -s, -,** gear lever

die **Scheidung, -, -en,** divorce

scheitern, to be wrecked, to come to grief

die **Schicht, -, -en,** (social) class

der **Schiedsrichter, -s, -,** referee, umpire

schimpfen, to abuse, to revile, to scold; **er schimpft auf die Jugend von heute,** he grumbles about the youth of to-day

die **Schläfe, -, -n,** temple, forehead

die **Schlagzeile, -, -n,** headline

schleudern, to skid; **ins Schleudern geraten*,** to get into a skid

schmälern, to encroach upon; to detract from

schnellstens, swiftly

schrittweise, step by step, gradually

der **Schub, -s, ⁼e,** thrust

das **Schürfen, -s,** (*no plural*), digging, prospecting

das **Schwefeldioxyd, -(e)s,** (*no plural*), sulphur dioxide

schweifen, to wander, to rove

schwelen, to smoulder

die **Schwerkraft, -, ⁼e,** gravitational force

das **Schwerkraftfeld, -s, -er,** gravitational field

seelisch, mental; spiritual

die **Sehnsucht, -,** (*no plural*), yearning

die **Selbstbestimmung, -, -en,** (the right of) self-determination

die **Seuchengefahr, -, -en,** danger of pestilence

die **Sondertagung, -, -en,** special session

der **Souveränitätsanspruch, -s, ⁼e,** claim to sovereignty

die **Spaltung, -, -en,** split, division

spannungsreich, of intense interest

spürbar, perceptible

der **Stacheldraht, -s, ∸e,** barbed wire

die **Stellungnahme, -, -n,** opinion, comment, attitude

die **Steuererhöhung, -, -en,** tax increase

das **Steuertriebwerk, -s, -e,** steering mechanism

die **Steuervorauszahlung, -, -en,** tax payment in advance

stichhaltig, sound, valid; **stichhaltig beweisen*,** to prove by putting to the test

stiften, to cause, to sow

der **Strafvollzug, -s, ∸e,** carrying out of punishment

das **Straßenteam, -s, -s,** 'scratch' team

streifen, to touch upon, to scratch the surface of

die **Streitfrage, -, -n,** question at issue

die **Sühne, -, -n,** atonement, expiation

der **Tankwart, -s, -e,** petrol-pump attendant

die **Tätlichkeit, -, -en,** act of violence; **es kam zu Tätlichkeiten,** fighting broke out

taugen, to be suitable

der **Totschlag, -s,** (*no plural*), manslaughter

der **Totschläger, -s, -,** murderer, killer; also, as here: cosh

der **Trabant, -en, -en,** satellite

die **Trattoria, -, -s,** Italian eating-house

das **Triebwerk, -s, -e,** engine, power unit

tuckern (*colloquial*), to chug (of engine)

übereinstimmend, unanimous(ly)

die **Überforderung, -, -en,** over-exertion, strain

überholt, out-of-date, antiquated

das **Überholverbot, -s, -e,** ' no overtaking' sign

die **Überlegung, -, -en,** careful thought

die **Überpflanzung, -, -en,** transplanting, grafting

überschäumend, exuberant, ebullient

überstimmen, to outvote, to overrule

übertreffen*, to surpass, to exceed

übertrieben, exaggerated, overdone

überwinden*, to overcome

üblich, customary, usual

die **Umfrage, -, -n,** enquiry

umkrempeln (*sep.*), to change radically

der **Umsatz, -es, ∸e,** turnover

umständlich, fussy, ' long-winded'

unbefristet, without a set time-limit

unberechenbar, unaccountable

ungefähr, casual, approximate; **von ungefähr,** haphazardly, 'for nothing'

ungläubig, sceptical

unschicklich, unbecoming

unterbewußt, subconscious

der **Unterhalt, -s,** (*no plural*), upkeep, maintenance

unternehmungslustig, enterprising, full of adventure

unterschwellig, subliminal, below the threshold of the mind

unvorstellbar, inconceivable

der **Urlaub, -s, -e,** holiday, leave

ursprünglich, original

verabschieden, to pass (of a law)

verändern, to change, to alter

der **Verbraucherverband, -es, ⁻e,** consumer association

verbürgt, well-founded, authentic(ated)

die **Verbüßung, -,** (*no plural*), atonement, punishment; **die Verbüßung der Strafe,** the serving of a (prison) sentence

verdorben, spoilt, depraved

die **Verfassung, -, -en,** constitution

verfassungsmäßig, constitutional

verfehlen, to miss

die **Verfügung, -, -en,** disposal; **er stellt es mir zur Verfügung,** he puts it at my disposal

vergewaltigen, to rape

das **Verhältnis, -ses, -se,** relation, proportion; (*usually plural*) circumstances, conditions

verhältnismäßig, comparatively

verhängen, to decree, to impose

die **Verkehrsstauung, -, -en,** traffic jam

verknüpft mit, tied-up with, connected with

verlagern, to shift, to displace; **die Gewichte verlagern,** to shift the emphasis

das **Vermögen, -s, -,** fortune, wealth

veröden, to become desolate

verrechnen, here: to set against one's account, to take into account

versagen, to fail, to break down

die **Versöhnung, -, -en,** propitiation, appeasement, reconciliation

die **Versorgung, -, -en,** supply

verstärken, to intensify

verteidigen, to defend

verunreinigen, to contaminate, to pollute

sich **vervollkommnen,** to perfect oneself

die **Verwaltung, -, -en,** administration

verwegen, foolhardy, insolent

verweichlichen, to coddle, to pamper

verwerflich, reprehensible, objectionable

verwerten, to turn to good use, to realize

verwirken, to forfeit

verwirklichen, to realize, to accomplish

die **Verwirklichung, -, -en,** realization, materialization

die **Verwirrung, -, -en,** confusion, perplexity

verwöhnen, to spoil, to pamper

sich **verzehren,** to pine, to eat one's heart out

verzichten (auf + acc.), to forgo, to give up

der **Volksstamm, -es, ⁻e,** (ethnological) tribe

die **Volkswirtschaft, -, -en,** national economy

vollbringen*, to accomplish, to achieve

vollstrecken, to carry out, to execute

vollziehen*, to carry out

vorbehalten* (*sep.*), to reserve

der **Vorgänger, -s, -,** predecessor

vorläufig, provisional

das **Vorrecht, -s, -e,** privilege

vorschlagen* (*sep.*), to propose

der **Vorsitzende** (*adj. decl.*), chairman, president

der **Vorsprung, -s, ⁻e,** lead, start (over someone)

die **Vorstellung, -, -en,** concept

der **Vorstoß, -es, ⁻e,** drive, advance

vorwerfen* (*sep.*), to reproach

der **VW-Bus, -ses, -se,** Volkswagen ' Minibus '

wahlberechtigt, entitled to vote, enfranchised

die **Wahlkundgebung, -, -en,** election rally

wahrnehmen* (*sep.*), to notice, to realize

sich **wandeln (in + acc.),** to change (into)

der **Wandertrieb, -s, -e,** migratory instinct, wanderlust

das **Warenangebot, -(e)s, -e,** supply of goods

die **Wasserstoffbombe, -, -n,** hydrogen bomb

weitgehend, here: largely

das **Weltall, -s,** (*no plural*), universe

die **Weltöffentlichkeit, -,** (*no plural*), the world at large

sich **wenden*** (+ **gegen**), here: to oppose

die **Werbetechnik, -, -en,** advertising technique

die **Werbung, -, -en,** advertising, publicity

das **Wettrennen, -s, -,** race

die **Wiedereingliederung, -, -en,** reinstatement, rehabilitation

der **Wiedereintrittswinkel, -s, -,** angle of re-entry

die **Wiedervereinigung, -,** (*no plural*), re-unification (here: of divided Germany)

der **Wirtschaftsminister, -s, -,** economics minister

das **Wirtschaftswunder, -s, -,** miraculous economic recovery (here: in post-war West Germany)

die **Wissenschaft, -, -en,** science

der **Wissenschaftler, -s, -,** scientist

der **Wurf, -es, ⸚e,** bold attempt

der **Würfel, -s, -,** die; **die Würfel sind gefallen,** the die is cast

die **Zeit, -, -en,** time; **auf Zeit,** on account (*Economics*)

das **Zeitalter, -s, -,** age, epoch

die **Zeiterscheinung, -, -en,** contemporary phenomenon

der **Zeitgenosse, -n, -n,** contemporary

die **Zielsetzung, -, -en,** aim in view

das **Zuchthaus, -es, ⸚er,** prison, penitentiary

zugesichert, promised

die **Zugewinngemeinschaft, -, -en,** joint ownership of earnings

zumute (*adv.*): **mir ist traurig zumute,** I am feeling sad

zumuten (*sep.*) (+*dat.*), to expect, to demand

zunächst, at first

zünden, to ignite

zünftig, belonging to a guild; thorough-going; **in einer zünftigen Trattoria,** in a typical Italian eating-house

der **Zuschauerraum, -s; ⸚e,** auditorium

zuschneiden* (*sep.*), to cut (to a pattern)

sich **zuspitzen** (*sep.*), to become critical, to come to a head

die **Zuspitzung, -, -en,** coming to a crisis, 'flaring-up'

der **Zustand, -s, ⸚e,** state, condition

zustimmen (*sep.*), to signify agreement

die **Zuwendung, -, en,** donation; **auf besondere Zuwendung des Lehrers angewiesen,** especially dependent on the personal attention of the teacher

die **Zwickmühle, -, -n,** dilemma, predicament

der **Zwischenfall, -s, ⸚e,** ugly incident